ANITA ALBUS
DIE KUNST ZU SEHEN
THE ART OF SEEING

herausgegeben von *edited by* Anette Hüsch
mit Texten von *with texts by* Regina Göckede und Anette Hüsch

Ein Ankauf der Karl-Walter Breitling und Charlotte Breitling-Stiftung
An acquisition by the Karl-Walter Breitling and Charlotte Breitling Foundation

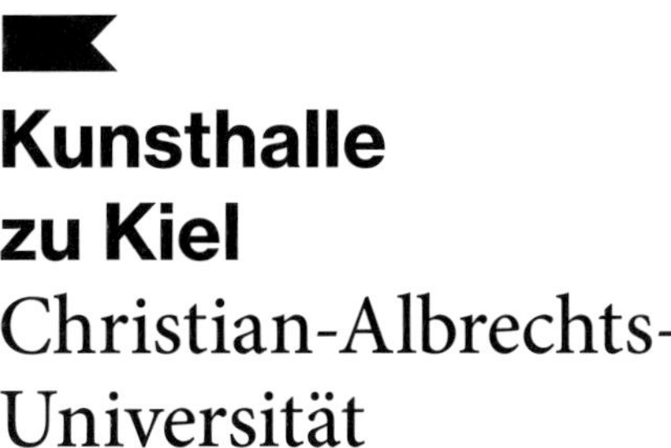

ANITA ALBUS
DIE KUNST ZU SEHEN
THE ART OF SEEING

INHALTSVERZEICHNIS

GERHARD FOUQUET
GRUSSWORT S. 5
A Warm Welcome *p. 131*

ANETTE HÜSCH
DIE KUNST ZU SEHEN S. 6
The Art of Seeing *p. 132*

KATALOG S. 19
Catalogue *p. 19*

REGINA GÖCKEDE
ANITA ALBUS – MALEREI UND KONTEXTE S. 20
Anita Albus – Painting and Contexts *p. 139*

Der Himmel ist mein Hut, die Erde ist mein Schuh S. 24
The Sky Is My Hat, the Earth My Shoe *p. 140*

Der Garten der Lieder S. 36
The Garden of Songs *p. 141*

Eia popeia et cetera S. 46
p. 142

Vermischtes S. 54
Miscellaneous *p. 54*

Die eifersüchtige Töpferin S. 58
The Jealous Potter *p. 143*

Das botanische Schauspiel S. 68
The Botanical Drama *p. 146*

Von seltenen Vögeln S. 96
On Rare Birds *p. 147*

WERKVERZEICHNIS S. 110
Catalogue Raisonné *p. 110*

BIOGRAFIE S. 126
Biography *p. 127*

BIBLIOGRAFIE S. 128
Bibliography *p. 128*

Impressum S. 150
Imprint *p. 150*

Unser großer Dank gilt Anita Albus.

*Die Kunsthalle zu Kiel dankt
der Karl-Walter Breitling und Charlotte Breitling-Stiftung.*

GRUSSWORT
IM NAMEN DER KARL-WALTER BREITLING UND CHARLOTTE BREITLING-STIFTUNG

Der Ankauf von 63 Werken der Künstlerin Anita Albus zum Verbleib in der Kunsthalle zu Kiel im Jahr 2016 ist der umfangreichste, den die Karl-Walter Breitling und Charlotte Breitling-Stiftung seit ihrer Gründung 1993 getätigt hat. Nachdem in der Vergangenheit Werke unter anderem von Carl Spitzweg, Louis Gurlitt, Erich Heckel, Lovis Corinth und Lesser Ury zur Ergänzung der Sammlungsbestände der Kunsthalle zu Kiel erworben wurden, verwahrt das Museum zudem nun das nahezu vollständige Konvolut der zwischen 1970 und 2004 entstandenen Werke von Anita Albus. Damit wird der Stifterwillen, gegenständliche Kunst zu erwerben, umfänglich erfüllt.

Die vorliegende Publikation würdigt die Künstlerin, Forscherin und Schriftstellerin Anita Albus sowie den Ankauf der Karl-Walter Breitling und Charlotte Breitling-Stiftung. Selbst ein noch so guter Bilderdruck schafft es jedoch nicht, die Originale umfassend wiederzugeben. Der vorliegende Katalog möge Ihnen daher eine Einladung sein, sich die Werke der Künstlerin im Original in der Kunsthalle zu Kiel anzusehen.

Dieser Ankauf wäre nicht zustande gekommen ohne den fortlaufend zuverlässigen Einsatz der Mitglieder des Vorstandes der Karl-Walter Breitling und Charlotte Breitling-Stiftung. Insbesondere möchte ich hier Herrn Dr. Jörn Winterfeld ausdrücklich für sein großes Engagement danken.

Im Namen der gesamten Stiftung gebühren unsere Hochachtung und unser tief empfundener Dank der Künstlerin Anita Albus, die über den Ankauf durch die Stiftung ihre Werke der Kunsthalle zu Kiel anvertraut hat.

Prof. Dr. Dr. h.c. Gerhard Fouquet

Historisches Seminar der CAU Kiel, Wirtschafts- und Sozialgeschichte
Stiftungsratsvorsitzender der Karl-Walter Breitling und
Charlotte Breitling-Stiftung

Stiftungsvorstand
Dr. Anette Hüsch, Kunsthalle zu Kiel
Friederike Rummer, Kunststiftung HSH Nordbank

Stiftungsrat
Dr. Bernd Brandes-Druba, Sparkassen- und Giroverband für
Schleswig-Holstein
Prof. Dr. Ulrich Schulte-Wülwer, Kunsthistoriker
Dr. Martin Skaruppe, Förde Sparkasse
Dr. Jörn Winterfeld, Rechtsanwalt

Anette Hüsch

DIE KUNST ZU SEHEN

Über ihre ersten Versuche, Interesse für die eigenen Werke bei Museumskurator*innen zu wecken, schreibt Anita Albus im Oktober 1979, es seien »Begegnungen mit Blinden« gewesen: »(…) hätte ich den Inhalt meines Papierkorbes vor ihnen ausgebreitet, so hätte ihnen das vielleicht mehr Anteilnahme entlockt, denn solch originelle Idee ist ihnen allemal plausibler, als meine Bilder.«[1] Im darauffolgenden Jahr wird Anita Albus durch die Fürsprache des bedeutenden französischen Anthropologen Claude Lévi-Strauss (1908–2009) ihre erste Einzelausstellung in der Münchener »Stuck-Villa«, wie es auf dem Titel des Kataloges heißt, erhalten.[2] Es sollen weitere Ausstellungen folgen – allerdings liegen über 20 Jahre zwischen dieser ersten von 1980 und der nächsten im Hessischen Landesmuseum Darmstadt 2004; weitere acht Jahre dauert es, bis ihre Bilder 2012 im Detlefsen-Museum im Brockdorff-Palais in Glückstadt sowie im Luxemburger Institut Pierre Werner gezeigt werden. Dass die hier vorliegende monografische Publikation die erste umfassende zu dem künstlerischen Werk von Anita Albus seit dem Katalog von 1980 und unsere Ausstellung erst die zweite monografische in einem Kunstmuseum ist, unterstreicht einmal mehr, dass der Künstlerin bisher nicht die Aufmerksamkeit zuteilgeworden ist, die sie längst verdient hätte.

Die Kunsthalle zu Kiel würdigt mit Ausstellung und Publikation den Ankauf von 63 Werken, den die Karl-Walter Breitling und Charlotte Breitling-Stiftung 2016 zum dauerhaften Verbleib in der Kunsthalle zu Kiel getätigt hat. Die von Anita Albus erworbenen Bilder veranschaulichen die Entwicklung ihres künstlerischen Schaffens von den Anfängen bis zu den neueren Werken aus dem Jahr 2004 und belegen in der Zusammenschau mit ihren Texten darüber hinaus die Wandlung von einer schreibenden Malerin zu einer malenden Schriftstellerin.[3] Diese bemerkenswerte Verschiebung hat nicht nur etwas mit den Themen zu tun, die sie als Autorin bearbeitet, sondern auch mit der besonderen Anstrengung für das Augenlicht: Die Kunst zu sehen, um zu malen, wie Anita Albus malt, erfordert sowohl bei dem Blick auf das Objekt als auch in der Umsetzung auf dem Malgrund höchste Konzentration und größte Genauigkeit bis in das kleinste, kaum noch wahrnehmbare Detail hinein. Eine solche Tätigkeit kann, um die Augen nicht völlig zu überanstrengen, nur wenige Stunden am Tag ausgeübt werden.

Anita Albus wurde 1942 in München geboren und wuchs in Wolfratshausen, dem Teutoburger Wald und im Sauerland auf. 1960 ging sie an die Folkwangschule für Gestaltung nach Essen, um dort freie Grafik zu studieren. Das Studium war jedoch nur der erste Schritt ihres Ausbildungsweges: Bis heute bleibt eine autodidaktische Herangehensweise prägend für ihr künstlerisches, literarisches und forschendes Schaffen. Seit 1964 lebt sie in München, von 1982 bis 2020 ist sie während der Sommermonate im

Burgund zu Hause. Ihren Wohnsitz dort verdankt sie der Freundschaft mit dem Ehepaar Lévi-Strauss, von dem hier noch mehrfach die Rede sein wird.

Kleinere Illustrationen von Anita Albus erscheinen 1970 in einer Publikation zur Berliner Küche und in einem Liederbuch für Kinder.[4] 1972 veröffentlicht sie ihren ersten Essay: Unter dem Titel *Neue psychoanalytische Theorien der weiblichen Sexualität* verfasst sie einen Beitrag für die Publikation *Maskulin – Feminin. Die Sexualität ist das Unnatürlichste von der Welt*. Neben ihrem Text erscheinen dort Beiträge unter anderem von Frank Böckelmann, Bazon Brock und Rita Mühlbauer; die zweite Auflage 1975 wird durch das von Anita Albus mitverfasste Nachwort mit dem herausfordernd adressierenden Titel *Verstehst?* ergänzt. Die Autor*innen reagieren darin auf die Kritiken zur ersten Auflage und stellen noch einmal ihr Ansinnen klar.[5] Gemeinsames Ziel der sehr verschiedenen Beiträge ist es, mit jener Sorgfalt über die Auflösung tradierter Vorstellungen des Weiblichen und des Männlichen sowie über die daraus resultierenden Perspektiven zu schreiben, die sie im Kontext der Frauenbewegung deutlich vermissen.

Das erste eigene *Bilderbuch für kleine und für große Leute* erscheint 1973: *Der Himmel ist mein Hut, die Erde ist mein Schuh* zeigt insgesamt neun Bilder, die eine Vielzahl an eigenen Geschichten anzuregen vermögen. Es sind surreale Szenen, verrätselte und verschachtelte Darstellungen sowie absurde Konstellationen, die zum Teil mit eingewobenen Bildzitaten aus der Geschichte der Kunst arbeiten: So findet sich in *Der Waldboden / Der wilde Mann* eine Schlange aus einem Werk von Otto Marseus van Schrieck (1619/1620–1678), dem für seine genauen Waldbodenstillleben bekannten niederländischen Maler [S. 33].[6] *Das brennende Haus* (rückwärtig mit *Das unscheinbare Feuer* betitelt), dessen Spiegelung im ruhigen Wasser ganz ohne Flammen erscheint, kann sinnbildlich für die Möglichkeiten der Kunst stehen, für die Beziehungen zwischen Bild und Spiegel, zwischen Malerei und sichtbarer Welt [S. 29]. Im gleichen Jahr erscheint *Der Garten der Lieder*. Die von Anita Albus getroffene und kommentierte Auswahl an deutschen Kinderliedern und -reimen illustriert die Künstlerin mit Miniaturen von wenigen Zentimetern Durchmesser. Diese kleinen, gleichwohl sehr detaillierten Bilder beziehen sich konkret auf die Inhalte der zusammengetragenen Texte [S. 36–43]. Ihre langjährige und intensive Auseinandersetzung mit der Tradition illuminierter Handschriften und der Miniaturmalerei zeigt sie hier künstlerisch, drei Jahrzehnte später dann schriftlich in jenem Kapitel ihres Buches *Paradies und Paradox* von 2002, das sie dem Miniaturisten Joris Hoefnagel (1542–1600) widmet.

Bei aller Raffinesse der Bilder von Anita Albus, ihrer Exaktheit und Farbenpracht, die das lustvolle Staunen provozieren und die Idee des Schönen zeigen, ist ihre Auswahl an Wiegenliedern in der Sammlung *Eia popeia et cetera* aus dem Jahr 1978 ebenso wie *Der Garten der Lieder* von der Ambivalenz der ausgewählten Texte bestimmt. Zahlreiche der veröffentlichten

Lieder beschreiben zwiespältige Mutter-Kind-Beziehungen, handeln von der Sehnsucht nach vollkommener Ruhe, von überzogenen Liebesbekundungen und deutlichen Todesdrohungen. Die sieben Bilder, die diese Auswahl begleiten, sind in der Tradition der Augentäuschung, des Trompe-l'Œil, gemalt und greifen die dunkle Stimmung der Liedtexte auf, ohne diese zu illustrieren. Die Künstlerin arbeitet Jahre an diesen Werken. Mit dem Hinweis auf den hohen Zeitaufwand, der für Anita Albus auch ein Ausweis der Genauigkeit ihrer künstlerischen Arbeit ist und den Wert ihrer Bilder maßgeblich mitbestimmen soll, erwartet sie von ihrem damaligen Verleger, Siegfried Unseld, eine dem ideellen Wert der Bilder angemessene exquisite Ausstattung der Buchpublikation: »Weil es niemanden gibt, der sich 3 Jahre Zeit nimmt, um 7 Bilder zu malen – außer mir –, sollte auch das Kleid des Buches, das sie aufnehmen soll, aus einem Stoff sein, den es nicht mehr gibt, was nur heißen kann, daß man ihn eigens für dieses Buch erstellen müßte.«[7]

Neben den Kinderliedern und -reimen sind auch Märchen autobiografische Begleiter und ein Fundus der schöpferischen Arbeit von Anita Albus. Zu der Geschichte *Von dem Machandelboom*, vom Wacholderbaum, die plattdeutsch aufgezeichnet wurde von dem Maler Philipp Otto Runge (1777–1810), schreibt sie an Monique Lévi-Strauss: »(...) es ist eine sehr grausame und düstere Geschichte, ganz in der Stimmung meiner Kindheit.«[8] [S. 55] Düster und grausam ist auch E. T. A. Hoffmanns (1776–1822) berühmte Erzählung *Der Sandmann*, in der es unter anderem um das Augenlicht geht – als Instrument und Metapher der geistigen Erleuchtung, als Spiegel der Seele – sowie schließlich und besonders: um die Angst vor dem Verlust des Sehens. E. T. A. Hoffmann greift im Titel auf die Gestalt des Sandmanns zurück, der einerseits als beruhigender, schlafbringender Gefährte und andererseits als augenausreißendes Monster in verschiedenen europäischen Kulturen in Erscheinung tritt. Die Erzählung ist ungeheuer facettenreich und handelt vom plötzlich auftretenden Bösen, von traumatischen Kindheitserfahrungen, dem Verwirrspiel um die Realität des Sichtbaren und von der Gefahr, an den zugemuteten Täuschungen des Daseins zugrunde zu gehen. Anita Albus nimmt diese Erzählung in zwei der sieben Bilder des Buches *Eia popeia et cetera* auf [S. 50].[9] Diese beiden Werke der Illusionsmalerei feiern jeweils die Fähigkeit, aber auch die Kunst, sehen zu können, und zeigen die Verwundbarkeit des Augenlichts: Das gesprungene Glas und die erschöpften, verängstigten Kinderaugen in dem einen, die Schere, der Vogel Greif und die Wortfetzen auf dem Zeitungsausriss in dem anderen Fall sind mit der Präzision ihres messerscharfen Blicks und großer handwerklicher Perfektion geradezu erbarmungslos ins Bild gesetzt. Das beiläufig anmutende Arrangement der Gegenstände steht in der kunsthistorischen Tradition des illusionistischen Quodlibets (»wie es beliebt«), in dem Papiere und Dinge des täglichen Daseins wie zufällig angeordnet sind und zu bedeutsamen Gegenständen der Kunst werden. Auch in den anderen fünf Bildern dieser Sammlung hält Anita Albus künstlerische Zwiesprachen über Jahrhunderte hinweg. So bezieht sich beispielsweise das Titelbild *Die wilde Frau* auf ein zentrales Werk des Malers Adam Elsheimer (1578–1610) [S. 47]. *Die Flucht nach Ägypten*, entstanden 1609, stellt den Bibelstoff in einer nächtlichen, mondbeschienenen Landschaft unter einem funkelnden Sternenhimmel dar. Anita Albus zeigt eine animalisch anmutende Maria mit dem Kind auf dem Schoß unter ebendiesem Himmel. Sie ist mit dichter Ganzkörperbehaarung ›bekleidet‹ und umfangen von langem, üppigem Haupthaar, das an die Mariendarstellungen Martin Schongauers (1459–1491) erinnert.[10]

Fast 30 Jahre nach der Wiegenliedsammlung veröffentlicht Anita Albus mit der Publikation *Von seltenen Vögeln* im Jahr 2005 eine Zusammenstellung der besonderen Art. Sie widmet sich darin einigen seltenen und ausgestorbenen Vogelarten und begleitet deren naturhistorische sowie mythisch aufgeladene Schicksalswege durch eigene Bilder und Texte, flankiert von zahlreichen historischen Darstellungen. Bereits Ende der 1970er Jahre, kurz nach der Veröffentlichung von *Eia popeia et cetera*, malt sie das *Eisvogelpaar in einer Landschaft* (1979/1980) [S. 97] und äußert in einem Schreiben an Claude Lévi-Strauss ihren Wunsch, eine Enzyklopädie der verschwundenen Arten zusammenzustellen.[11] Das *Eisvogelpaar* wird nicht nur auf dem Titel des Münchener Kataloges von 1980, sondern auch in *Von seltenen Vögeln* erscheinen. Die Stunden der Arbeit an diesem Werk hat die Künstlerin in ihrem Tagebuch festgehalten, exakt 1327 sind es gewesen.[12] Die Landschaft, in der die Vögel leben, lässt an Baumgruppen und Blickführungen in Werken Albrecht Altdorfers (um 1480–1538) und Gérard Davids (um 1460–1523) denken. Der Eisvogel, bereits zum wiederholten Male Gegenstand ihrer Bilder, erhält, auch durch den Austausch mit Claude Lévi-Strauss, im Münchener Katalog von 1980 einen Appendix zu den verschiedenen Mythen, die die Existenz dieses Tieres begleiten. Nach den Bildern zu *Eia popeia et cetera* wird Anita Albus keine Menschen mehr malen. In *Eisvogelpaar in einer Landschaft* ist diese Abwesenheit besonders deutlich spürbar. Die Menschenleere als unsichtbarer und gerade deshalb wesentlicher Bestandteil des Bildes provoziert den Eindruck eines unberührten und unbestimmten Naturraumes, in den der Mensch nur mittelbar als Betrachter der Kunst eindringt. Möglichst abwesend, so paradox das klingen mag, bleibt auch die Künstlerin selbst in ihren Werken: Ihr erklärtes Ziel ist es, das eigene Können umfassend in den Dienst der Objekte zu stellen, die sie ins Bild setzt. Dazu trägt der äußerst kontrollierte Pinselstrich bei, der ausschließlich der Exaktheit der Wiedergabe dient. In diesem Sinne vermeidet die Künstlerin einen persönlichen Gestus oder eine möglichst individuelle Interpretation ihres Gegenstandes. Anita Albus signiert ihre Werke kaum je; nur einige Bilder sind rückwärtig mit Titeln in Bleistift versehen. Die handwerkliche Fähigkeit, im Bild zu verschwinden, bewundert sie an dem großen Jan van Eyck (um 1390–1441), aber auch an den Künstlern des 17. Jahrhunderts wie Georg Flegel (1566–1638) oder Adriaen Coorte (um 1665 – nach 1707).

Ihr künstlerisches Ziel, im Schaffensprozess analog zum natürlichen Werden zu arbeiten, erfährt mit dem Tafelbild *Stillleben mit Braunliestbalg* von 1983 [S. 98] eine entscheidende kunsthandwerkliche Erweiterung. Das kleine Werk zeigt den Balg, also die abgezogene Haut samt Federkleid, der titelgebenden Eisvogelart. Dieser ist präsentiert auf einer Steinplatte, die deutlich die existenzialistische Nüchternheit der Stillleben Coortes zitiert. Als Anita Albus den realen Balg vor sich sieht, wird ihr klar, dass die schillernden Farben, die Tiefe, das Lichtspiel und die Brillanz seines Federkleides mit käuflichen Aquarellfarben nicht wiederzugeben sind. Nun beginnt sie, die aus einer Familie von Chemikern stammt, eigene Farben herzustellen. Das Werk ist das erste mit ebensolchen gemalte. Ihr Impuls, die Farben und deren Bindemittel selbst zu fertigen, um der Brillanz und optischen Tiefe des Vogelgefieders gerecht zu werden, steht in der Tradition von Erfindungen wie der des Vogelkundlers und Tiermalers John Gould (1804–1881), der sich Mitte des 19. Jahrhunderts eine metallische Lasur für seine Kolibridarstellungen patentieren ließ.[13]

Mitte der 1980er Jahre züchtet Anita Albus ausgewählte Blumen in ihrem Garten im Burgund, um diese »nach dem Leben zu malen und zu beschreiben«.[14] 1987 erscheinen zwölf dieser Blumenaquarelle in *Der leidenschaftliche Gärtner* von Rudolf Borchardt (1877–1945). Borchardt verfasst das Buch 1938 im Exil in Italien, erst 1951 wird es posthum veröffentlicht. Es handelt sich dabei um ein Textgewebe aus naturkundlichen und -historischen Aspekten, philosophischen Einlassungen und Biografischem zum Thema. Das letzte Kapitel, *Katalog der Verkannten, Neuen, Verlorenen, Seltenen, Eigenen* betitelt, erzählt von Pflanzenarten, die im Verschwinden begriffen sind. Insgesamt 21 Blumendarstellungen veröffentlicht Anita Albus im gleichen Jahr in einem Mappenwerk, begleitet von eigenen Texten; 2007 erscheint schließlich die um drei Werke erweiterte Buchausgabe ihres floralen Bühnenstücks, *Das botanische Schauspiel*.

Der stete Wettlauf der äußerst genau und dadurch eben auch äußerst langsam arbeitenden Künstlerin gegen die Zeitläufte des Wachsens, Blühens und Vergehens, die Augenzeugenschaft der natürlichen Prozesse, stellt diese Werke von Anita Albus in die Tradition der großen naturkundlich Forschenden wie Maria Sibylla Merian (1647–1717), für die das zeichnerische Sichaneignen des Objektes ein wesentliches Verfahren des Erkenntnisprozesses bedeutet.

Sowohl in *Das botanische Schauspiel* als auch in *Von seltenen Vögeln* sind ihre künstlerischen und literarischen Suchbewegungen im besten Sinne eigenwillig: Die historischen Fakten zur jeweiligen Art, die Zusammenschau mit mythischen Überformungen in unterschiedlichen kulturellen Praktiken und die Empathie für das, was ihr zum künstlerischen und literarischen Gegenstand wird, bilden in der Summe ein schöpferisches Kaleidoskop der Einfühlung und Anschauung; theoretische und historische Fakten finden darin scheinbar mühelos mit großen Erzählungen und persönlichen Betrachtungen zusammen. Nicht zuletzt die Titel, die Blumen als Darsteller eines Schauspiels vorstellen und Vögel als Protagonisten einer ganz eigenen Erzählstruktur auftreten lassen, bieten zahlreiche Bezugspunkte zum Denken Claude Lévi-Strauss'.

Dessen Buch *Die eifersüchtige Töpferin* wird 1987 auf Deutsch mit fünf Bildern von Anita Albus publiziert. Seine These zur strukturellen Vergleichbarkeit des Denkens jenseits kultureller Grenzmarkierungen entwickelt der Autor hier entlang der Bedeutung von Tiermythen für verschiedene Kulturen und Sprachfamilien. Albus begleitet seine Ausführungen mit wenigen Bildern, darunter jenem der im wahrsten Sinne des Wortes flammenden Darstellung einer Nachtschwalbe [S. 59]. Claude Lévi-Strauss und Anita Albus stehen zu diesem Zeitpunkt bereits seit neun Jahren in Kontakt miteinander. 1978 schreibt die Künstlerin an den einflussreichen französischen Forscher, ermutigt durch ein Interview, in dem er seinen Anspruch an die Malerei ausführt. Damit beginnt eine lebenslange Freundschaft mit ihm und seiner Frau Monique. Der Anthropologe forscht zeitlebens, vereinfacht ausgedrückt, an möglichen der Wirklichkeit innewohnenden Strukturen. Unbewusste, allgemeingültige Prinzipien des Denkens, so seine Überzeugung, lassen gemeinsame Strukturen des kommunikativen Miteinanders über alle Unterschiede hinweg in verschiedenen Kulturkreisen erkennen. Diese Grundhaltung, das Interesse an Mustern, Folien, Schichten und den diesen zugrunde liegenden Gefügen, trifft sich offensichtlich mit jenen Neigungen, die aus den Forschungen von Anita Albus in Naturkunde, Kunst und Literatur sprechen.[15]

Von 1988 bis 2005 publiziert Anita Albus nur wenige Bilder, aber zahlreiche Texte. In diesem Zeitraum vollzieht sich die eingangs erwähnte Verlagerung von der gelegentlich schreibenden Künstlerin zu der gelegentlich malenden Schriftstellerin: Lediglich Zifferzeichnungen zu Christoph Ransmayrs Roman *Die letzte Welt* erscheinen, dafür jedoch ihr bis heute einziger Roman, *Farfallone* (1989), in dem die Autorin in Briefform eine zerstörerische Beziehung ähnlich genau seziert wie die zahlreichen Bezüge zur Insektenkunde. Explizit verweist sie im Anhang darauf, dass sich in dem Roman »Zitate (…) als *trompe l'œils* im Text wie Wandelnde Blätter im Gebüsch (verbergen)«.[16] 1993 veröffentlicht sie vier Erzählungen in *Liebesbande*. In ihrem Roman und in den Erzählungen erinnert die schonungslose Präzision der Worte an die Exaktheit ihrer Malerei.

1997 erscheint ihre große Studie *Die Kunst der Künste. Erinnerungen an die Malerei*, in der Jan van Eyck eine besondere Rolle einnimmt. Minutiös entschlüsselt sie die Bedeutungsebenen seines Tafelbildes *Die Madonna des Kanzlers Rolin* (um 1435) und widmet jedem der sichtbaren Bestandteile des Werkes eine genaue Betrachtung, führt historische Quellen zusammen und deutet das Bild in einer multiperspektivischen Betrachtungsweise neu. In dieser enormen, in ihrer historischen Dichte und intellektuellen Stringenz kaum angemessen zu würdigenden Leistung zeigt sich nicht zuletzt ihr tiefes Verständnis für die Herstellung der Farben, für deren eigene stoffliche Qualitäten und die Bedeutung dieses Wissens für die Kunst Jan van Eycks. Die Kenntnisse der Ingredienzien und Mischungsverhältnisse sind eine wesentliche Grundlage ihrer eigenen künstlerischen Werke. Sie weiß genau Bescheid über die Größe und Gestalt der Pigmente, kennt deren jeweilige physikalische Eigenschaften und Auswirkungen auf die Lichtarchitektur im Aufbau der Malschichten. Die mit diesem Wissen unmittelbar zusammenhängende Detailtreue ihrer Bilder verführt immer wieder zu der Annahme, ihre Werke seien filigran. Doch das Gegenteil ist der Fall: Klein im Format, dabei dennoch gelegentlich lebensgroß, exakt in der Darstellung, sind ihre Werke entschieden, kompakt – und robust wie die Haltung der Künstlerin.[17]

Auch wenn Anita Albus als Malerin und Schriftstellerin arbeitet, griffe ihre Charakterisierung als Doppelbegabung nicht nur deutlich zu kurz, sondern auch schlicht daneben. Malen und Schreiben erhalten zwar in strikt getrennten und möglichst weit voneinander entfernt liegenden Arbeitssituationen an ihren beiden Wohnsitzen den nötigen Raum, doch es entsteht im Universum der Anita Albus ein eigenes verzweigtes Verweissystem, in dem sich die vermeintlich kategorische Trennung zu einer eigenen Struktur findet. Diese speist sich – dem fächerübergreifenden Wissensdrang entsprechend – aus den Erkenntnissen, die unterschiedlichste Bereiche der Kultur-, Natur- und Kunstgeschichte seit dem 15. Jahrhundert zusammenführen. Ihr Schaffen, auf dessen Themenvielfalt angesprochen sie sagt, dass nicht sie die Themen suche, sondern die Themen sie fänden, ist in sich ein rätselhaftes Wegesystem, das an einigen Stellen deutliche Kreuzungen, Parallelen und *ronds-points* aufweist, an anderen komplizierte Verknüpfungen wagt, riskante, rasante Kurven nimmt und dabei eben durchaus Strukturen erkennen lässt. Diese liegen nur zum Teil in ihrer Beschäftigung mit den bewunderten großen Künstlern der Vergangenheit wie Jan van Eyck, denen Anita Albus sich aus der Selbsterkenntnis der Grenzen ihrer eigenen künstlerischen Fähigkeiten heraus nicht im Bild, sondern über den Text nähert. Auch das Verständnis für ihre künstlerischen Vorbilder, die sie gelegentlich in ihren Werken malerisch zitiert, oder die diskreten Hinweise auf weitere Quellen, verborgene Bildhinweise und Textbezüge, zeigen jeweils Facetten ihrer Begabungen und erworbenen Kenntnisse.

Die Kunst zu sehen, wie Anita Albus sie beherrscht, lebt von der Präzision ihrer Anschauung und der detaillierten Aneignung ihres Gegenstandes – in künstlerischer, forschender und literarischer Hinsicht. Die Wahrheit wissenschaftlicher Erkenntnis, durch jede Entdeckung weiterer Rätsel ansichtig zu werden, ist für Anita Albus Glaubensbekenntnis der Schöpfung und intellektueller Wegweiser.

Mit ihrer Hinwendung zu bedrohter oder bereits ausgestorbener Flora und Fauna sowie zu den historischen Wissensräumen, zu Mythologie, Naturkunde und Kulturgeschichte der Kunst und Literatur, macht sie stets den Gleichklang von Naturverlust und Kulturverlust deutlich: Vereinfacht gesagt, hat das fortdauernde Verschwinden der Artenvielfalt als schöpferische Projektionsfläche des menschlichen Geistes eine rasante Verarmung der kulturellen Vielfalt zur Folge. Für die Malerin Anita Albus leitet sich aus dieser Diagnose neben der Wahl ihrer Themen auch der Anspruch ab, in Zusammenhang mit dem Bildgegenstand beispielsweise die zu Farbtiefe und Brillanz führenden Mechanismen der Natur in die Kunst zu übertragen – also die Effekte einer blauschwarzgrünlich schimmernden Feder nicht in der bloßen Imitation ihre Grenzen finden zu lassen, sondern die natürliche Pracht über die Körnung der Pigmente und die Geschmeidigkeit der Farben, deren Spiel zwischen Dichte und Transparenz, die Vielzahl der Farbschichten durch eine wahre Lichtarchitektur tatsächlich künstlerisch zu erzeugen. Die kompromisslose Detailtreue und die hohen Qualitätsansprüche an ihr Werk, die Güte des handwerklichen Könnens als wesentlicher Bestandteil der künstlerisch-intellektuellen Qualität sind Ausdruck ihres tiefen Respekts vor den Rätseln hinter den Rätseln der unsichtbaren Struktur sichtbarer Erscheinungen.

Ohne ein Kunstverständnis, das strikte Kategorien im Verhältnis des Gegenstandes zur Gegenständlichkeit der Malerei anlegt, sowie ohne eine kompromisslose Vorstellung davon, was gute Kunst ausmacht, wäre diese Konzentration nicht möglich. Die beschriebene Rigorosität ist Ausdruck jener Ausschlusskriterien, mit denen Anita Albus sich in ihrer dezidiert anti-modernen Haltung konträr zur Malerei, zur bildenden Kunst seit dem frühen 20. Jahrhundert überhaupt positioniert: Erbarmungslos und streng rechnet sie in *Die Umkehr des Schmetterlings*, im vierten Teil von *Die Kunst der Künste*, mit der Kunst und deren Betrieb seit den ersten Jahren nach 1900 ab.[18] Kaum in der Malerei, eher in der Literatur erkennt sie noch die Chance zur Kunst der Aneignung wie bei Marcel Proust oder Vladimir Nabokov, vielleicht auch bei Tanja Blixen, denen sie jeweils Essays oder ganze Bücher widmet.

Die enge Beziehung zwischen dem Schreiben und der Kunst entspricht einer inneren Notwendigkeit, wenn sie in *Die Kunst der Künste* äußert: »Der Kern, um den es sich kristallisierte, war der Wunsch zu begreifen, warum ich malend nicht weiterkam, und die Hoffnung, am Ende meiner Rätselreise das Tor der Malerei wieder geöffnet zu finden.«[19] Die nach der Veröffentlichung dieses Buches entstandenen Werke wie das Gemälde *Waldrappe in Weltlandschaft* (1999) [S. 101] mögen in diesem Zusammenhang auch wie eine Erfüllung dieser Hoffnung wahrzunehmen sein. Diese inzwischen nahezu ausgestorbenen Vögel, eine Ibisart, sind in ihrer schillernden Pracht vor einer Weltlandschaft präsentiert, jener idealtypischen Landschaft, mit der Joachim Patinir (um 1480–1524) Anfang des 16. Jahrhunderts das Genre der Landschaftsmalerei beeinflusst:[20] Seine detailreichen, üppigen, in ihren Felsformationen nahezu figurativen Universallandschaften sind dezent durchzogen von menschlichen Siedlungen und würdigen das Sichtbare als fantastischen, vielgestaltigen und doch einheitlichen Schöpfungsraum. Die Figuren der biblischen Stoffe klein gehalten, formt der sie umfangende Raum weniger die Kulisse als das Thema selbst. Auch in *Waldrappe in Weltlandschaft* öffnet sich dieser an Patinir angelehnte Raum mit einem gleichsam schwebenden Blick.

Die gewählte Arbeitsform der kultur- und naturhistorischen Annäherung mit dem Ziel tiefer Erkenntnisprozesse bietet trotz aller Distanz durchaus Anknüpfungspunkte zu zeitgenössischen Kunstpraktiken wie der des *artistic research*, der künstlerischen Forschung. Diese Praxis findet einen möglichen Erkenntnisgewinn im künstlerischen Vorgehen analog zu etablierten wissenschaftlichen Methoden.

Anita Albus' Kunst zu sehen ist in diesem Kontext keine historische Rückwendung ohne Gegenwartsbezug, sondern als Methode eines Erkenntnisprozesses zu begreifen. Die Künstlerin schlägt sozusagen gekonnt einen gedanklichen und künstlerischen Salto rückwärts, mit dem sie die Moderne weitgehend überspringt und gezielt bei Vorstellungen und Kriterien landet, die vor einigen hundert Jahren galten. Dabei handelt es sich nicht um einen oberflächlichen Kunstrückgriff auf vergangene Zeiten, sondern um eine intensive Aneignung und Auseinandersetzung mit dem Ziel, das, was in den Künsten, der Naturkunde sowie in Flora und Fauna heute im Verschwinden begriffen und damit dem Vergessen preisgegeben ist, in eine mögliche Zukunft mindestens als Erinnerung zu tragen. Dieser im Kern vorausdenkende Ansatz berührt wesentliche Fragen unserer Gegenwart, die die Künstlerin so kritisch begleitet.

Es ließe sich aus diesem Vorgehen, um im Tonfall des Rigorosen der Künstlerin zu argumentieren, der Schluss ziehen, dass sie nur deshalb künstlerisch so arbeitet, wie sie dies tut, weil Anita Albus in einer ihren Widerspruch so deutlich herausfordernden Zeit lebt. Die Formen, in denen sie zeigend denkt, der Rätselpfad, den sie geht, atmen den Geist der Gegenwart, den Schmerz des Verlustes und die gleichermaßen kompromisslose wie stoische Widerständigkeit gegen die Kategorien von Effizienz und

Fortschrittsidee der von ihr kritisierten »Nützlichkeitswelt«.[21] Ihre ablehnende Haltung gegenüber dem Zeitgeist begründet sie hinsichtlich der Kunst mit dem Verlust des Gegenstandes, der zunehmenden Selbstreferentialität und einer dadurch entstehenden Monotonie der Kunstproduktion. Anita Albus' Anspruch liegt abseits von jenem Kunstverständnis, das Kunst nur dort erkennt, wo der individuelle Ausdruck, die Interpretation, Verfremdung oder Aufgabe eines Gegenstandes im Mittelpunkt stehen. Jedwede Ichbezüglichkeit liegt Anita Albus in diesem Kontext fern; ihr Antrieb ist kein geringerer als die Frage danach, wie die Dinge des Universums miteinander verbunden sind und in welcher Form Natur, Kunst sowie menschliches Denken zusammenhängen und sichtbar gemacht werden können. Hier berühren sich die von ihr vorgetragene Kritik an der attestierten Allgegenwärtigkeit des Nützlichen und ihre tiefe Überzeugung, Kunst in Dienst zu stellen. Dabei ist Anita Albus in ihrer Analyse der Gegenwart vollkommen gewahr, dass diese kaum Raum lässt für eine Position wie die ihre; die eingangs zitierte Idee des ausgeleerten Papierkorbs mag diesen Umstand auch heute noch illustrieren.

Es gibt keinen Grund, der Fundamentalkritik von Anita Albus in jedem Punkt, zumal im Kontext eines Museums, das auch ein Ort für Gegenwartskunst ist, zu folgen. Zwar bleibt die Präzision ihrer Worte gewohnt fundiert und messerscharf; doch wenigstens einen blinden Fleck gibt es stets, in jeder Struktur, jedem Muster und jeder Perspektive – so auch hier: Anita Albus ist in ihrer ablehnenden Analyse und ihrer davon beflügelten Haltung, sich das Wissen vergangener kultureller Konstellationen anzueignen und damit zu arbeiten, eine ebenso gegenwärtige wie solitäre Figur. Das Museum als Idee, der Ort der Kunsthalle zu Kiel, soll ihrem künstlerischen Werk jenen ideellen und physischen Raum bieten, von dem aus ihr Schaffen in viele Richtungen weitergedacht werden kann, auch und gerade – und das hält die kleine, große, robuste wie schöne und komplexe Welt der Anita Albus aus – im Spektrum der Gegenwartskunst.

1 Anita Albus an Monique Lévi-Strauss, 7.10.1979, Akademie der Künste, Berlin, Anita-Albus-Archiv, o. Sign.

2 *Anita Albus. Aquarelle 1970 bis 1980*, Ausst.-Kat. Stuck-Villa München, München 1980.

3 Interview mit Anita Albus, *30 Years* (2012), ‹http://30years.com/interviews/anita-albus/› [Stand: 11.6.2022].

4 Sämtliche Titel, die mit Jahreszahl erwähnt sind, finden sich in der Bibliografie im Anhang und werden hier nicht mehr gesondert aufgeführt. Die beiden Titel von 1970 sind: Sybille Schall, *Berliner Küche. Aal jrün, Buletten, Pfannkuchen und was man sonst noch alles zwischen Ku-Damm und Wedding isst und trinkt*, München 1970; Eberhard Merker, *Die schönsten Kinderlieder. 110 Lieder mit Noten für die Kleinen und für die Großen*, München 1970.

5 Anita Albus, Frank Böckelmann, Rita Mühlbauer, *Verstehst? Nachwort zur zweiten Auflage*, in: dies. u. a. (Hrsg.), *Maskulin – Feminin. Die Sexualität ist das Unnatürlichste der Welt*, München 1975 (1972), S. 269–289.

6 Vgl. dazu Otto Marseus van Schrieck, *Stillleben mit Insekten und Amphibien*, 1662, Herzog Anton Ulrich-Museum, Braunschweig.

7 Zit. nach Roland Stark, *Die schönen Insel-Bilderbücher*, Frankfurt am Main 2014, S. 95. Die Erstauflage ist tatsächlich in ein besonderes Kleid gehüllt.

8 Anita Albus an Monique Lévi-Strauss, 15.8.1979, Akademie der Künste, Berlin, Anita-Albus-Archiv, o. Sign.

9 Vgl. W. G. Sebald, *Kleine Vorrede zur Salzburger Ausstellung*, in: *Anita Albus*, hrsg. v. Ante Sorić, Elisabeth und Nikolaus Topić-Matutin, Ausst.-Kat. Schloss Neuhaus, Salzburg, Muzejski Prostor, Zagreb, Salzburg, Zagreb 1990, S. 6–11, S. 8. Der Artikel ist abrufbar unter ‹http://www.wgsebald.de/albus/albus.html› [Stand: 11.6.2022].

10 Anita Albus bezieht sich hier auf das in der Münchener Alten Pinakothek befindliche Werk von Elsheimer (eine zweite Fassung ohne den Sternenhimmel befindet sich im Louvre). 2005 wird nachgewiesen, dass seine *Flucht nach Ägypten* die erste Darstellung der Milchstraße durch ein Fernrohr überhaupt ist, wenn auch nicht alle Sterne richtig platziert sind. Elsheimer muss bereits im Sommer 1609 durch das optische Gerät in den Himmel geblickt haben, Galileo Galilei beginnt seine entsprechenden Studien erst im Herbst 1609. Vgl. Gerhard Hartl, Christian Sicka, *Komposition oder Abbild? Die Darstellung des Nachthimmels in Adam Elsheimers* Flucht nach Ägypten – *eine naturwissenschaftlich-kritische Betrachtung*, in: Reinhold Baumstark (Hrsg.), *Von neuen Sternen. Adam Elsheimers* Flucht nach Ägypten, München, Köln 2005, S. 106–126.

11 Anita Albus an Claude Lévi-Strauss, München, 10.4.1979: »(...) et de vous parler de mon projet: Une histoire naturelle des espèces disparus.« Akademie der Künste, Berlin, Anita-Albus-Archiv, o. Sign.

12 Von Februar bis April 1980 arbeitet Anita Albus an dem Werk; siehe *Tages-Anzeiger Magazin*, Nr. 38, 20.9.1980.

13 Julia Voss, *Darwins Bilder. Ansichten der Evolutionstheorie 1837–1874*, Frankfurt am Main 2009 (2007), S. 205.

14 Im Titel des *Botanischen Schauspiels* von 2007 (siehe oben im Folgenden) heißt es exakt: *nach dem Leben gemalt und beschrieben*.

15 Claude Lévi-Strauss thematisiert Anita Albus in *À un jeune peintre*, in: *Le regard éloigné*, Paris 1983, S. 336–344.

16 Anita Albus, *Farfallone. Ein Roman in Briefen*, München, Wien 1989, S. 191. Wandelnde Blätter heißt eine Heuschreckenart. Diese imitiert nicht nur im Aussehen, sondern auch im Verhalten Laubblätter; die Tiere verhalten sich tagsüber unauffällig wie ein Blatt im Wind. Bei Gefahr können die Weibchen Laute von sich geben, die Männchen werfen zur Irritation ihrer Feinde ihre Beine ab.

17 Anita Albus im Gespräch mit Sandra Hoffmann für *Büchermarkt*, Deutschlandfunk, 5.5.2015, ‹http://www.deutschlandfunk.de/malerin-und-schriftstellerin-anita-albus-meine-texte-sind.700.de.html?dram:article_id=319018› [Stand: 11.6.2022].

18 Anita Albus, *Die Umkehr des Schmetterlings*, in: dies., *Die Kunst der Künste. Erinnerungen an die Malerei*, München 1999 (1997), S. 269–290.

19 *An Dankes statt*, in: *Die Kunst der Künste* 1999 (1997), S. 375.

20 Den Begriff der Weltlandschaft verwendet Ludwig von Baldass für Hieronymus Bosch, insbesondere aber für die Werke Patinirs: »Erst seine reifen Werke, in denen sich die Landschaft konsequent vom vorderen Bildrand bis zum Horizont entwickelt, während die Figuren künstlerisch zur Sekundärerscheinung abrutschen, können mit Fug Weltlandschaften genannt werden.« Ders., *Die niederländische Landschaftsmalerei von Patinir bis Bruegel*, in: *Jahrbuch der Kunsthistorischen Sammlungen des Allerhöchsten Kaiserhauses*, Bd. 34, 1918, S. 111–157, S. 120–122, ‹http://digi.ub.uni-heidelberg.de/diglit/jbksak› [Stand: 11.6.2022].

21 *Die Umkehr des Schmetterlings*, in: *Die Kunst der Künste* 1999 (1997), S. 269.

KATALOG
CATALOGUE

Regina Göckede

ANITA ALBUS – MALEREI UND KONTEXTE

Die künstlerischen Arbeiten von Anita Albus sowie die sie tragenden Motiv- und Themenketten sind aufs Engste mit den Publikationen der schreibenden Künstlerin verknüpft. Ihre Malerei entsteht für, im Dialog mit oder in Reaktion auf Schriften aus eigener wie fremder Feder. Angesichts des dichten Bild-Text-Gefüges in der Malerei von Anita Albus liegt es nahe, die durch die Karl-Walter Breitling und Charlotte Breitling-Stiftung erworbenen Werke vor dem Hintergrund der Publikationen zu ordnen und zu erläutern. Die Arbeiten sind daher im Folgenden in Werkgruppen unterteilt, die hinsichtlich ihrer zentralen Motive aus Liedgut, Märchen und Mythen sowie mit Blick auf immer wiederkehrende Figuren der Tier- und Pflanzenwelt wesentlich der Abfolge und thematisch-konzeptionellen Ordnung der Publikationen entsprechen. Erst in Kenntnis der Verbindung zwischen forschendem Schreiben und forschendem Malen ist es möglich, die wichtigsten künstlerisch-literarischen und theoretischen Einflüsse auf Anita Albus' malerisches Werk sowie, zumindest in Grundzügen, die enorme kulturgeschichtliche Tiefe ihres Referenzkosmos jenseits heutiger fachlicher Grenzziehungen herauszuarbeiten. Das betrifft ihre doppelte bzw. dreifache Identität als Künstlerin, Schriftstellerin und Naturforscherin ebenso wie die philosophischen, botanischen oder mythologischen und religiös-spirituellen Dimensionen ihrer Arbeit.

Die Besucher*innen der Kunsthalle zu Kiel wie auch die Leser*innen des vorliegenden Katalogs werden im Nachstehenden zuvorderst als Kunstbetrachter*innen adressiert, die Bilder von Anita Albus als eigenständige Werke der Kunst zu lesen. So, wie ihr Schreiben sich durch ausgesprochene Anschaulichkeit auszeichnet, verfügt ihr künstlerisches Werk über einen ebenso analytischen wie poetischen Duktus, der es zu einer sehr autonomen und bewusst unzeitgemäßen Position innerhalb der zeitgenössischen Kunst macht. Ihr durchweg gegenständliches künstlerisches Werk wird in den anschließenden Erläuterungen für die Kunst reklamiert und beworben, ohne damit Anita Albus auf eine lediglich anachronistische, antimoderne Künstlerin zu reduzieren. Die Kunsthalle zu Kiel postuliert mit der Präsentation dieses großen Konvoluts kleiner Arbeiten von unermesslich feinteiliger Schönheit nicht zuletzt Anita Albus' Bedeutung für die Gegenwartskunst. Das Postulat betrifft die beinahe performativ anmutende Hervorhebung handwerklicher Sorgfalt und farbwissenschaftlicher Kenntnisse wie die im malerischen Werk vollzogenen sinnlichen Annäherungen an eigentlich wissenschaftlich besetzte Themen der historischen Kindheitssoziologie, des volkstümlichen Kinderliedgutes, der Botanik oder der Vogelkunde. Es schließt genauso ihre empirische Suche nach der Schönheit des Konkreten wie das Sichtbarmachen von symbolischen Mensch-Natur-Beziehungen ein und würdigt die in der Malerei Anita Albus' geleistete Erinnerungsarbeit als Ringen um die Wiederbelebung eines verloren gegangenen Kunstwissens. Insofern empfehlen sich die in diesem

Katalog versammelten Reproduktionen weniger als Abbildungen der in der Ausstellung präsentierten Werkoriginale denn als visuelle Vehikel der Erinnerung an ebenjene Originale, die das Thema der kreativen Rückbesinnung zum Programm erheben.

Im anschließenden Katalogteil wird das durch die Karl-Walter Breitling und Charlotte Breitling-Stiftung zum Verbleib in der Kunsthalle zu Kiel erworbene Konvolut von Arbeiten in seiner Gesamtheit mit Abbildungen präsentiert. Der Aufbau folgt einer chronologisch-thematischen Ordnung nach Werkgruppen, denen jeweils ein erläuternder Kurztext nachgestellt ist. Die Zusammenstellung der Werke in Gruppen ist aus Anita Albus' eigenen Buchpublikationen abgeleitet sowie aus ihren Bildbeiträgen für Claude Lévi-Strauss' Studie *Die eifersüchtige Töpferin*. Mittels dieser Systematisierung ergeben sich für den Abbildungsteil sechs große Werkgruppen sowie eine Sektion Vermischtes, in der für unterschiedliche Publikationen entstandene Einzelblätter zusammengefasst sind. Der Aufbau nach Werkgruppen folgt insofern einer chronologischen Ordnung, als die älteste Publikation (*Der Himmel ist mein Hut, die Erde ist mein Schuh*) den Auftakt bildet und die in der jüngsten Publikation (*Von seltenen Vögeln*) versammelten Werke den Katalogteil beschließen.

DER HIMMEL IST MEIN HUT, DIE ERDE IST MEIN SCHUH
THE SKY IS MY HAT, THE EARTH MY SHOE

Anita Albus, Der Himmel ist mein Hut, die Erde ist mein Schuh. Ein Bilderbuch für kleine und große Leute *(The Sky Is My Hat, the Earth My Shoe: A Picture Book for Large and Small)*, Frankfurt am Main: Insel-Verlag, 1973.
32 Seiten mit 8 Bildseiten sowie Einbandabbildung
32 pages, with 8 illustrated pages plus front cover

Dauerleihgabe *Permanent loan*
Karl-Walter Breitling und
Charlotte Breitling-Stiftung
8 Werke *8 works of art*

Der Himmel ist mein Hut, die Erde ist
mein Schuh (Titelbild)
The Sky Is My Hat, the Earth My Shoe (Front Cover)
1972

Der Baum im Haus
The Tree inside the House
1971/1972

Das Haus im Haus
The House inside the House
1971/1972

Das Schiff im Klo
The Ship in the Loo
1971/1972

Das brennende Haus / Das unscheinbare Feuer
The Burning House / The Unassuming Fire
1971

Das Schiff im Wald
The Ship in the Forest
1971/1972

Der Zug im Meer
The Train in the Sea
1971/1972

Der Waldboden / Der wilde Mann
The Forest Floor / The Wild Man
1972

DER HIMMEL IST MEIN HUT, DIE ERDE IST MEIN SCHUH

Die in dieser Gruppe zusammengefassten Werke entstehen in den Jahren 1971/1972 als freie Arbeiten, bevor sie 1973 in *Der Himmel ist mein Hut, die Erde ist mein Schuh. Ein Bilderbuch für kleine und große Leute* publiziert werden. Alle späteren Arbeiten der Malerin Anita Albus stehen, wie sie es 2012 selbst in einem Interview formuliert, »immer im Zusammenhang mit Texten«.[1] Insofern lassen sich diese Arbeiten als eine Ausnahme im Gesamtwerk einer Künstlerin begreifen, die Mitte der 1960er Jahre nach dem offenbar enttäuschend verlaufenden Studium der freien Grafik zu der Einsicht gelangt, »daß der Literatur und der Politik – nicht der Malerei – ihr eigentliches Interesse gilt«.[2] Nachdem sie kurze Zeit Mitglied des Sozialistischen Studentenbundes in München ist, engagiert sie sich in einem antiautoritären Kindergarten. Erst aus dem reformpädagogischen Engagement für Kinder und mit Kindern findet sie offenbar zu Beginn der 1970er Jahre zurück zur Malerei.

Die in annähernd quadratischem Format angelegten Bildtafeln sind in leuchtenden, kontrastreichen Aquarellfarben und Deckweiß gemalt. Als Malgrund verwendet Anita Albus Karton, Papier oder beides, in mehreren Schichten montiert. Die Arbeiten imaginieren durchweg menschenleeres Geschehen, das neben Schiffen und Zügen einen im weitesten Sinne häuslichen Ausgangspunkt besitzt, aber in Missachtung jeder normativen Vernunft der Erwachsenenwelt aus dem Heimisch-Vertrauten hinausführt. Andere Bilder zeigen alternative Wirklichkeiten, in denen sich Symbole menschlicher Zivilisation mit Landschaften unberührter Natur vermischen: Ein Baum bahnt sich aus dem Inneren einer Villa den Weg durch die Fassadenöffnungen ins Freie [S. 26]; ein anderes Luftschloss rahmt sein identisches Abbild und setzt diese Rahmung unendlich fort [S. 27]; der Blick in die Toilettenschüssel öffnet einem Bullauge gleich den Blick auf das Meer mit Ozeandampfer [S. 28]; obschon das Obergeschoss und der Dachstuhl eines Hauses auf winziger Insel in Flammen stehen, spiegelt sich das beängstigende Inferno nicht in der Oberfläche des Sees, stattdessen erscheint dort das Bild des intakten Hauses [S. 29]; eine Gebirgslandschaft erweist sich bei suchendem Sehen als der Kopf eines Steinriesen;[3] eine Lokomotive steuert durch eine zerklüftete Unterwasserwelt und transformiert die arktische Gebirgslandschaft mit ihren Scheinwerfern in ein von bunten Fischen und Korallen bewohntes tropisches Gewässer [S. 31]; ein Waldstillleben mit Schlange, Pilzen, Farnen und allerlei wilden Blumen ist so arrangiert, dass der auf der ersten Betrachtungsebene erkennbare Waldboden sich durch eine 180-Grad-Drehung in das Profil eines bärtigen Mannes wandelt [S. 33]. Erinnert diese Verfahrensweise an die Umkehrbilder Giuseppe Arcimboldos (um 1523–1593), so weist die ausdifferenzierte Darstellung von Blumen, Blattwerk, Pilzen und Insekten ebenso wie die der Vegetation in *Das Schiff im Wald* [S. 30] motivische und stilistische Ähnlichkeiten zu jener malerischen Praxis auf, die der Protosurrealist Henri Rousseau (1844–1910) in seinen Dschungelbildern zeigt.

All diese Bilder wurden Grundschulkindern im Alter von sieben bis elf Jahren zur freien Interpretation vorgelegt. Eine Auswahl der Ergebnisse dieser ausgesprochen kreativen Weiterdichtung der von Anita Albus geschaffenen visuellen Fantasien sind dem Buch im Anhang beigefügt. Darin gerät etwa *Das brennende Haus* [S. 29] zum Hinweis auf einen unter der Insel wohnenden Zauberer, der, wäre er der Vater der zehnjährigen Interpretin, dafür sorgen würde, dass diese »vor Lachen nicht mehr weinen« könnte.[4] In der Summe, so Anita Albus in ihren den Band einleitenden Zeilen, widerlegten die kindlichen Deutungen eindrucksvoll jeden Zweifel, »ob solch phantastisches Geschehen im Bild dem Kind wohl zumutbar sei«. Die kreativen Reaktionen der Kinder zeigten im Gegenteil, »wie vertraut das Kind mit Unvertrautem umgeht«.[5] Den gewählten Buchtitel *Der Himmel ist mein Hut, die Erde ist mein Schuh* entnimmt Albus dem Kinderreim *Wer bist du, armer Mann?*, den Achim von Arnim (1781–1831) und Clemens Brentano (1778–1842) in ihre Volksliedsammlung *Des Knaben Wunderhorn* (1806–1808) aufgenommen hatten.[6] Bereits in dieser Wahl kündigt sich jenes besondere Interesse Anita Albus' am Genre des sogenannten Volks- und Kinderliedes an, das zum zentralen Material ihres nächsten, kaum ein Jahr später veröffentlichten Buchprojektes avancieren sollte.

1 Interview mit Anita Albus, *30 Years* (2012), ‹http://30years.com/interviews/anita-albus/› [Stand: 11.6.2022].

2 *Anita Albus. Aquarelle 1970 bis 1980*, Ausst.-Kat. Stuck-Villa München, München 1980, S. 72.

3 Die Arbeit *Eine Landschaft / Der Kopf des Riesen (Wo ist er?)* befindet sich heute in Privatbesitz; vgl. Werkverzeichnis im vorliegenden Katalog, S. 111.

4 Anita Albus, *Der Himmel ist mein Hut, die Erde ist mein Schuh. Ein Bilderbuch für kleine und große Leute*, Frankfurt am Main 1973, Anhang, o. S.

5 *Der Himmel ist mein Hut* 1973, Einleitung, o. S.

6 Achim von Arnim, Clemens Brentano, *Des Knaben Wunderhorn*, Bd. 3, Heidelberg 1808, S. 93.

DER GARTEN DER LIEDER
THE GARDEN OF SONGS

Anita Albus, Friedrich Kur, Der Garten der Lieder. Ein Buch für Kinder und Andere *(The Garden of Songs. A Book for Children and Others)*, Frankfurt am Main: Insel-Verlag, 1974.
15 Seiten mit 11 illustrierten Liedern, gestalteter Buchdeckel *15 pages, with 11 illustrated songs plus front cover*

Dauerleihgabe *Permanent loan*
Karl-Walter Breitling und
Charlotte Breitling-Stiftung
7 Werke *7 works of art*

Der Garten der Lieder. Ein Buch für Kinder
und Andere (Titelbild)
*The Garden of Songs. A Book for Children
and Others (Front Cover)*
1972–1974

Der Schimmelreiter / Du sollst Vater und Mutter lieben / Rate, was ich hab vernommen
The Rider on the White Horse / Love Your Father and Mother / Guess What I Have Heard
1972–1974

Das bucklicht Männlein
The Little Hunchback
1972–1974

Großmutter Schlangenköchin
Grandmother Snake Cook
1972–1974

Petersilje Suppenkraut
Parsley Pot Herb
1972–1974

Katze und Zwergkönig / Der Schneider und der Teufel / Schnudelputz Hausstand / Das Hexenspiel
Cat and Dwarf King / The Tailor and the Devil / Schnudelputz Household / The Witch's Game
1972–1974

Rahmen zu den Medaillons – Der Stieglitz
Frame to the Medallions – The Goldfinch
1972–1974

Was galt in historischer Perspektive als kindgerecht und was muten die von Erwachsenen ausgewählten Lieder den Kindern eigentlich zu? Diesen Fragen geht Anita Albus gemeinsam mit Friedrich Kur (der die musikalische Bearbeitung übernahm) in dem aufwändig illustrierten Buch *Der Garten der Lieder* nach.[1] In dem schmalen Band sind elf alte deutsche Kinderlieder primärer Gegenstand einer eher künstlerischen Kritik denn musiksoziologischen Analyse. Ausgehend von der grundsätzlichen These, dass es eigentlich keine Kinderlieder gibt, sondern lediglich »viele Lieder, von denen Erwachsene glauben, es seien Kinderlieder«, fördern Albus und Kur entgegen dem verharmlosenden Verständnis überraschende und mitunter unbequeme oder gar provozierende (Be-)Deutungen zutage. So wird etwa die »erstaunliche Karriere« eines »Bordellied(es) zum Schulstoff für die Kleinen«[2] aufgezeigt *(Schnudelputz Hausstand)*; ein Kinderlied entlarvt den Versuch, eine ungewollte voreheliche Schwangerschaft abzubrechen *(Petersilje Suppenkraut)*; eine Rechtfertigung für sadistische Praktiken wird im Lied *Der Schneider und der Teufel* aufgedeckt oder das als unumstößlich erachtete *Du sollst Vater und Mutter lieben* überdacht.

Anita Albus' Illustrationen [S. 37–42] tragen entscheidend zu dieser Infragestellung von kinderliedspezifischen Selbstgewissheiten bei. Ihre mit haarfeinem Pinsel in Aquarellfarben und Deckweiß erstellten Miniaturen kommentieren die ausgewählten Lieder und Reime.

Auf den handgemalten Druckvorlagen sind mitunter Illustrationen zu mehreren Liedern zusammengefasst. Erst mit der endgültigen Setzung des Buchlayouts wurden die einzelnen Miniaturen dem jeweiligen Liedtext zugeordnet und mit Ausnahme des Auftaktliedes *Katze und Zwergkönig* in eine als Rahmen gestaltete Vorlage montiert [S. 43]. Die Gestaltung der Buchseiten folgt einem festen Muster: Oberhalb der mittleren Buchseite wird die erste Strophe des Liedes mit Noten und darunter der gesamte Text gesetzt. Dessen erster Buchstabe ist als Initiale mit Blumen und Rankenwerk geschmückt. Der Text wird seinerseits von einem in grünem Ton räumlich dargestellten viergeteilten Kasten gerahmt. Diese Zonen sind mit Motiven wie Blumen, Früchten, Vögeln, Insekten, Muscheln und Rankenwerk auf braunem Grund gestaltet. Jedes Fach erhält ein Medaillon. Die Reproduktion dieser Drolerien entspricht im Buchdruck exakt den von Anita Albus im Original angelegten Maßen. Motivisch nehmen sie mehr oder weniger explizit Bezug auf die mitunter verborgenen Inhalte des jeweiligen Liedtextes. In der Summe vervielfältigen die Miniaturen den erzählenden Gehalt der Kinderlieder, indem sie übersehene Bedeutungen sichtbar machen. So zeigt etwa ein dem Lied *Der Schneider und der Teufel* [S. 42] gewidmetes Bild besagten Schneider in der Hölle, wie er drei Teufelsgestalten mit einem Stab schlägt. Auf einer weiteren Illustration quält er einen vor sich liegenden Teufel mit seiner Nadel. Die vier kleinsten Medaillons veranschaulichen weitere im Lied besungene Bestrafungspraktiken wie das Abschneiden des Schwanzes, die Folter mit einem Bügeleisen und das Häuten des teuflischen Gesäßes. Für die größte Miniatur zu *Petersilje Suppenkraut* [S. 41] wiederum wählt Anita Albus eine allegorische Illustration: Eine junge Frau in strahlend weißem, dekolletiertem Kleid steht in einem Kräutergarten, zu ihrer Linken sitzt ein weißer Hase. In dieser Kombination verweist die Frauendarstellung auf Venus und der weiße Hase symbolisiert körperliche Liebe, Fruchtbarkeit und unkontrollierte Triebhaftigkeit. Der Ort des Kräutergartens selbst gerät vor diesem Hintergrund zur symbolischen Androhung des mittels Kräutern einzuleitenden Schwangerschaftsabbruches.

1 Anita Albus, Friedrich Kur, *Der Garten der Lieder. Ein Buch für Kinder und Andere*, Frankfurt am Main 1974.

2 *Der Garten der Lieder* 1974, Anhang, o. S.

EIA POPEIA ET CETERA

Anita Albus, Eia popeia et cetera. Eine Sammlung alter Wiegenlieder aus dem Volk *(Eia popeia et cetera. A Collection of Old Lullabies from the People)*, Frankfurt am Main: Insel-Verlag, 1978.
71 Seiten, 6 Bilder zuzüglich Bild auf Schuber (Die wilde Frau) *71 pages, 6 images plus slipcase cover (The Wild Woman)*

Dauerleihgabe *Permanent loan*
Karl-Walter Breitling und
Charlotte Breitling-Stiftung
5 Werke *5 works of art*

Die wilde Frau
The Wild Woman
1974/1975

Vanitas-Schrank
Vanitas Cabinet
1975

Stillleben mit Eisvogel
Still Life with Kingfisher
1976

Trompe-l'Œil mit zersprungenem Glas
Trompe L'Oeil with Shattered Glass
1976

Quodlibet
1977

Anita Albus veröffentlicht *Eia popeia et cetera. Eine Sammlung alter Wiegenlieder aus dem Volk* erstmals im Jahre 1978 in limitierter Auflage, 1987 folgt die Buchausgabe des Insel-Verlages. Für die von ihr zusammengetragene Liedauswahl erstellt sie ein Titelblatt sowie weitere sechs Bildtafeln. Diese sind den sechs thematisch geordneten Kapiteln jeweils vorangestellt, unter denen Anita Albus ihre Auslese fasst.

Eia popeia et cetera knüpft an den *Garten der Lieder* an. Auch in diesem Buchprojekt entlarvt Anita Albus mitunter allzu idealisierende Vorstellungen von Kinderliedern. Mittels ihrer Auswahl weist sie nach, dass das gemeinhin mit mütterlicher Güte assoziierte volkstümliche Genre des Wiegenliedes tatsächlich von nur einer Absicht geleitet ist: »Das Kind soll schlafen und schweigen. Um dies zu erreichen ist jedes Mittel recht, die niederträchtigste Drohung (das Kind zu ertränken) wie die zärtlichste Verheißung (es heiraten zu wollen).«[1] Anita Albus ergänzt mit ihrer Wiegenliedsammlung im Anschluss an Philippe Ariès' *Geschichte der Kindheit*[2] ein Bild von Kindheit, das eher von aggressiver Züchtigung als von selbstloser Fürsorge geprägt ist.

Ihre in Aquarellfarben und Deckweiß gemalten Augentäuschungen entstehen in den Jahren 1974 bis 1977. Anita Albus stellt jedem ihrer Kapitel eine dieser visuellen Täuschungen voran, die auf den ersten Blick keinen unmittelbaren Rückschluss auf die folgenden Wiegenliedtexte erlauben. Die Arbeiten dieser Werkgruppe erheben das Rätselhafte, Verschlüsselte und Verborgene zum ästhetischen Programm: Sie weisen darauf hin, dass Wiegenlieder zuweilen über ihren eigentlichen disziplinierenden Zweck hinwegzutäuschen versuchen.

Sechzehn verdrießliche Lieder vom lästigen Kind ist ein Kapitel überschrieben. Das vorangestellte Bild [S. 50] imitiert äußerst überzeugend eine gerahmte Fotografie, deren Glas gesprungen ist. Die Darstellung zeigt ein erschöpftes Mädchen, das vor einer Haustür sitzt und ein nicht minder erschöpft erscheinendes Kleinkind auf dem Schoß hält. *Zwanzig tödliche(n) Lieder(n) nebst zwei Segen gegen böse Maren* wird demgegenüber ein Bild beigefügt [S. 48], das auch bei oberflächlicher Betrachtung erlaubt, eine Verbindung zu Tod und Vergänglichkeit herzuleiten: Die offenen Fächer eines Schrankes geben den Blick auf eine Sammlung von Kuriositäten frei, darunter ein Stundenglas, ein menschlicher Schädel und eine aus mehreren kleinen Skeletten zusammengesetzte Skulptur.

Dem gesamten Band als Titelblatt vorangestellt ist die Darstellung einer behaarten Frau mit Säugling auf dem Schoß [S. 47].[3] *Die wilde Frau* sitzt am Ufer eines von Mondlicht erhellten Sees. Zu ihren Füßen steht ein kleiner Hermelin, dessen Pelz sich nicht wesentlich von der fellartigen Behaarung der Frau unterscheidet. In dieser Szene wird die Ikonografie archechristlicher Mutterschaft mit den archaischen Imaginationen hybrider Mensch-Tier-Naturgottheiten zusammengebracht.

Es sind nicht zuletzt Bilder wie dieses, die den Anthropologen Claude Lévi-Strauss veranlassen, in Anita Albus' Werk das Versprechen einer Erneuerung der zeitgenössischen Kunst aus der vormodernen europäischen Malerei erkennen zu wollen – aus ihrem spirituellem Geist, ihrem handwerklichen Wissen und der dieser Malerei eigenen Sorgfalt der empirisch-transzendentalen Anschauung.[4]

1 Anita Albus, *Eia popeia et cetera. Eine Sammlung alter Wiegenlieder aus dem Volk*, Frankfurt am Main 1987, S. 100.

2 Philippe Ariès, *Geschichte der Kindheit*, München 1975.

3 Siehe auch den Einführungstext von Anette Hüsch im vorliegenden Katalog, S. 9–10.

4 Claude Lévi-Strauss, *Einführung*, in: *Anita Albus. Aquarelle 1970 bis 1980*, Ausst.-Kat. Stuck-Villa München, München 1980, S. 25–27.

Friedhelm Klein, Wolfgang Zacharias
(Hrsg. *Ed.*), Dürer-Spielbuch *(Dürer Children's Book)*,
München: Parabel-Verlag, 1971.
62 Bildseiten *62 illustrated pages*
1 Werk *1 work of art*

Elisabeth Borchers, Das sehr nützliche Merkbuch für
Geburtstage *(The Very Useful Appointment Book for
Birthdays)*, Frankfurt am Main: Insel-Verlag, 1978.
148 Seiten, mit zwei Illustrationen von Anita Albus
148 pages, with two illustrations by Anita Albus
2 Werke *2 works of art*

Von dem Machandelboom. Ein Märchen nach Philipp
Otto Runge *(The Fairy Tale of the Juniper Tree.
A Fairy Tale by Philipp Otto Runge)*, Frankfurt am Main:
Insel-Verlag, 1987.
52 Seiten, mit zwei Bildern von Anita Albus
52 pages, with two illustrations by Anita Albus
1 Werk *1 work of art*

Alle Werke Dauerleihgabe
All works of art permanent loan
Karl-Walter Breitling und
Charlotte Breitling-Stiftung

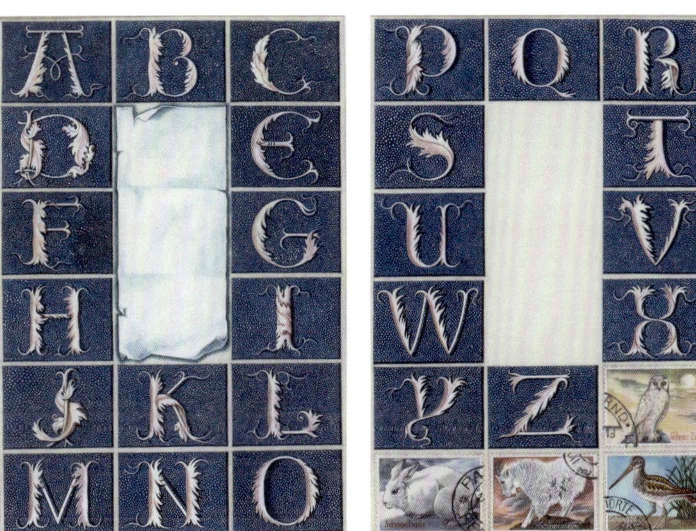

Dürers Traum
Dürer's Dream
Ende 1960er Jahre / Anfang 1970er Jahre
late 1960s / early 1970s

Alphabet des Geburtstagebuchs
Alphabet of the Birthday Book
1978

Machen vom Machandelboom
The Fairy Tale of the Juniper Tree
1986

Rebus, 1984

Hans Magnus Enzensberger, Das Wasserzeichen der Poesie oder Die Kunst und das Vergnügen, Gedichte zu lesen *(The Watermark of Poetry or The Art and Pleasure of Reading Poems)*, Nördlingen: Greno-Verlag, 1985. 486 Seiten, darunter ein zweiteiliges Rebus von Anita Albus *486 pages with a two-piece rebus by Anita Albus*

Dauerleihgabe *Permanent loan*
Karl-Walter Breitling und
Charlotte Breitling-Stiftung
1 Werk (zweiteilig) *1 work of art (two-piece)*

Hingesunken alten Träumen,
Buhlst mit Rosen, sprichst mit Bäumen,
Statt der Mädchen, statt der Weisen;
Können das nicht löblich preisen.
Kommen deshalb die Gesellen,
Sich zur Seite dir zu stellen,
Finden, dir und uns zu dienen,
Pinsel, Farbe, Wein im Grünen.

(Johann Wolfgang von Goethe, 7. *Goethe's nachgelassene Werke. Gedichte*, Stuttgart, Tübingen 1833, S. 56)

Das vollständige, um Buchstaben ergänzte *Rebus*
wie abgedruckt in *Das Wasserzeichen der Poesie*
The complete Rebus, *supplemented by letters,*
as it is printed in The Watermark of Poetry

DIE EIFERSÜCHTIGE TÖPFERIN
THE JEALOUS POTTER

Claude Lévi-Strauss, Die eifersüchtige Töpferin *(The Jealous Potter)*, Nördlingen: Greno-Verlag, 1987.
396 Seiten, darunter 5 Bilder von Anita Albus
396 pages with 5 images by Anita Albus

Dauerleihgabe *Permanent loan*
Karl-Walter Breitling und Charlotte Breitling-Stiftung
5 Werke *5 works of art*

Die Nachtschwalbe – Caprimulgus europaeus
European Nightjar – Caprimulgus europaeus
1987

Das zweizehige Faultier – Choloepus didactylus
Linnaeus's Two-Toed Sloth – Choloepus didactylus
1987

Das dreizehige Faultier – Bradypus tridactylus
Pale-Throated Three-Toed Sloth – Bradypus tridactylus
1987

Der kleine Ameisenbär – Tamandua tetradactyla
Lesser Anteater – Tamandua tetradactyla
1987

Der rote Brüllaffe – Alouatta seniculus
Venezuelan Red Howler – Alouatta seniculus
1987

Worin besteht der Zusammenhang zwischen der Tätigkeit des Töpferns, dem menschlichen Temperament der Eifersucht und dem Charakter der Nachtschwalbe? Claude Lévi-Strauss' *La potière jalouse* aus dem Jahre 1985 ist in thematischer und methodischer wie in stilistischer Hinsicht ein seltsames Buch, das sich kaum einem herkömmlichen Wissenschaftsgenre zuordnen lässt. Mit seiner kulturvergleichenden Typologie von Mensch-Tier-Beziehungen in den indigenen Mythen der beiden Amerikas fahndet der Begründer der strukturalen Anthropologie auf die ihm sehr eigene Weise nach der symbolischen Beziehung von Töpferkunst, Eifersucht und menschlicher Schöpferkraft. Diese symbolischen Ähnlichkeiten sind für ihn Ausdruck einer allgemeinen transzendentalen Logik des mythischen Denkens, die lange vor Sigmund Freuds Psychoanalyse ein organisches Modell der Kultur hervorbrachte.[1]

Die den Text von Lévi-Strauss begleitenden Abbildungsvorlagen entstehen 1987 für dessen deutsche Ausgabe *Die eifersüchtige Töpferin*. Anita Albus' fünf farbige Bildtafeln veranschaulichen ausgewählte tierische Charaktere, denen in den amerikanischen Mythenwelten eine exponierte Stellung eingeräumt wird. Ihnen gemeinsam ist, dass sie jeweils auf besondere Weise menschliche Persönlichkeitsmerkmale und Wertesysteme repräsentieren. Demnach verfügen diese Tiere nicht zuletzt über jene ambivalenten Qualitäten, die vom Menschen gleichzeitig mit dem Charakterzug des Neids und der Eifersucht sowie mit materieller Produktivität und geistiger Kreativität in Verbindung gebracht werden.

Wie vielleicht kein anderes Wesen wird die Nachtschwalbe in den Mythologien Amerikas mit der Töpferei als einer zwischen himmlischen und irdischen Mächten vermittelnden zivilisatorischen Schlüsselkunst assoziiert. So, wie die aus dem Erdreich stammende Töpfererde erst noch zu brennen ist und es daher des dem Himmel entrissenen Feuers bedarf, damit sie zum Kulturprodukt wird, beschwört die mythische Semantik den geheimnisvollen Charakter eines als besonders ungesellig, gierig und gefräßig geltenden Vogels, der kein Nest baut und in dem Ruf steht, bei Nacht bekümmert zu singen. Der unter den indigenen Völkern Amerikas »Mond-Sucherin«, »Geister-Vogel«, oder »Großmaul«[2] genannten Nachschwalbe werden göttliche sowie menschliche, männliche und weibliche Sexualeigenschaften zugeschrieben. Sie symbolisiert häufig familiäre Zerwürfnisse und Trennungen, besonders eheliche Zwietracht und Eifersucht. Dabei wird die ausgesprochene orale Fixierung des für seinen übergroßen Schnabel bekannten Vogels hervorgehoben. In anderen Mythengruppen avanciert dieselbe äußere Auffälligkeit zum Zeichen genuin vaginaler Macht und vollzieht so einen Übergang vom Bild des egoistischen Vielfraßes zum Motiv der Enthauptung. Anita Albus greift für die Illustration der geduckt auf einem Ast sitzenden Nachtschwalbe zahlreiche dieser Motive auf [S. 59]. Ihre Darstellung erwidert auf eigenständige Weise Claude Lévi-Strauss' übergeordnetes Interesse an dem transzendentalen Zusammenhang unterschiedlicher Mythenversionen. Mit den Mitteln der Malerei entsteht ein symbolisches Ganzes, das die Summe seiner detailliert gearbeiteten Einzelteile deutlich überschreitet. Der überweit aufgerissene Schnabel der Nachtschwalbe erinnert zunächst an ein die Fütterung einforderndes Küken. Flüchtig betrachtet, vermittelt das Bild aber ebenso den Eindruck eines enthaupteten Vogels. Auf dieser zweiten Bildebene öffnet sich gleichsam der Blick auf ein imaginäres Inneres, das einerseits der menschlichen Vulva ähnelt und andererseits das Äußere der von den Rottönen der von Flammen beherrschten Waldfeuerlandschaft in sich zu bergen scheint. Anita Albus' Nachtschwalbe singt nicht einfach den Vollmond oder das göttliche Feuer an, sondern scheint angesichts des apokalyptisch anmutenden Szenarios schreiend die Zerstörung der Welt zu beklagen, vielleicht aber auch verzweifelt die Rettung derselben zu fordern. Ohne dass die widersprüchlichen Bilddetails ihre spezifische Zeichenhaftigkeit einbüßen, ruft die Darstellung bei den Betrachter*innen Beziehungssysteme auf, die deutlich über die primären Bildinhalte hinausweisen und so auch den kosmischen Kampf zwischen Menschen und Nichtmenschen um den Besitz des Feuers umfassen. Anita Albus wird 2005 in ihrer Publikation *Von seltenen Vögeln* zum Thema der Nachtschwalbe zurückkehren und dabei ihre für *Die eifersüchtige Töpferin* erstellte Darstellung wiederverwenden.[3]

Es ist vor allem das Ringen von miteinander im Streit liegenden Mächten, das mythologisch einen Konnex herstellt zwischen dem (über-) natürlichen Nachtvogel und dem Töpferhandwerk, besonders dem mit diesem Handwerk in Verbindung gebrachten menschlichen Zug der Habgier, des Geizes und der Eifersucht. Mit den Mitteln der Kunst macht Anita Albus gerade solche von Lévi-Strauss herausgearbeiteten Beziehungen sichtbar, die dem Übergang von der Natur zur Kultur Ausdruck verleihen. Im Dialog mit dem Text des befreundeten französischen Anthropologen überträgt die Künstlerin gewissermaßen dessen gemischte Methode der Mytheninterpretation auf das Feld der Malerei. Folgerichtig zeigt sie den Vogel als ein der Natur zugehöriges Wesen und stellt ihn gleichzeitig in seinen semantischen Funktionen innerhalb menschlicher Mythen als kosmischen Träger kultureller Bedeutungsherstellung dar.

Vor diesem mythischen Bedeutungshintergrund erscheinen in derselben Publikation *Das dreizehige Faultier* [S. 61], *Das zweizehige Faultier* [S. 60], *Der kleine Ameisenbär* [S. 62] und *Der rote Brüllaffe* [S. 63] auf den ersten Blick recht unverbunden neben *Die Nachtschwalbe* gestellt. Tatsächlich versinnbildlichen sie in Lévi-Strauss' Mytheninterpretation statt oraler Gier eher anale Verhaltung oder Einbehaltung.

Anita Albus' Darstellungen des dreizehigen und des zweizehigen Faultiers zeigen insofern nicht einfach zwei zoologische Unterarten des Faultiers, sondern symbolisieren auf der Grundlage ihrer konkreten Text-Bild-Entstehung gleichsam die kosmologische Zweiteilung des ehemals über eine Menschengestalt verfügenden mythischen Wesens in ein dreizehiges Wasserwesen und ein zweizehiges Faultier. Gemäß einer indigenen Mythenerzählung Kolumbiens schwang sich einst das alte Faultier zum Himmel empor, um die Sonne zu verfinstern. Es wurde so zum »Urheber der langen Nacht« und des damit einhergehenden menschlichen Leids.[4] Erst dank des anhaltenden Beschusses gelang es den Menschen, das Faultier in zwei Teile zu spalten. Die eine Hälfte fiel ins Wasser, die andere wurde von einem Ast aufgefangen. Anita Albus malt beide Faultiere, und sie tut dies in deutlicher Bezugnahme auf deren mythische Herkunft. Ihre Darstellung des Dreizehers zeigt ein eher tauchendes denn schwimmendes Tier in tagheller tropischer Seenlandschaft. Demgegenüber scheint ihre Darstellung des zweizehigen Faultiers genau jenen kosmischen Moment zu bannen, in dem es einem Teil des vom Himmel herabstürzenden Faultiers gelingt, sich an einem in die Höhe ragenden Ast festzuhalten. Die wie ein Komet auf die Erde stürzende helle Masse mit langem Schweif kann als der frei fallende abgespaltene Teil des mythischen Ursprungsfaultiers gedeutet werden. Sie könnte aber ebenso jene herabfallenden Exkremente des fest im Baum verankerten Tieres symbolisieren, denen in zahlreichen amerikanischen Mythen eine die Unterwelt durchbohrende Kraft zugewiesen wird.[5]

Der in zoologischer Hinsicht mit dem Faultier verwandte sogenannte *Kleine Ameisenbär* bildet in den Mythen Nordamerikas die symbolische Umwandlung der mit den Faultieren Mittel- und Südamerikas verbundenen Vorstellungswelt. Anita Albus zeigt ihn als ein auf seinen langen Schwanz gestütztes, aufrecht stehendes Wesen, das mit ausgestreckten Armen um Gleichgewicht zu ringen scheint, um das unweit seines Kopfes an einem Ast herabhängende Wabengebilde in den Blick zu nehmen [S. 62]. In der vom Baum hängenden Masse ist aber zugleich das an seiner Wohnstätte zurückgelassene Herz jenes menschenähnlichen Unterwelt-Zwerges zu erkennen, als welcher der *Kleine Ameisenbär* in zahlreichen indigenen Mythen Amerikas in Erscheinung tritt.[6]

Schließlich repräsentiert *Der rote Brüllaffe* [S. 63] die sogenannte arborikole Tierwelt, also all jene Tiere, die auf Bäumen und über den Menschen hausen und somit in mythologischer Hinsicht in einem luftigen Himmel über der irdischen Welt der Menschen wohnen.[7] Der von Anita Albus gemalte, grimmig dreinschauende und im Baumwipfel sitzende Primat brüllt nicht, sondern blickt mit seinen zur Kugel gerollten Ausscheidungen in der Hand auf seinen (menschlichen) Feind und auf uns als Betrachter*innen. Claude Lévi-Strauss arbeitet heraus, dass der Brüllaffe im indigen Mythos ebenso wie in der Tierforschung dafür bekannt sei, »*von oben* und *zu jeder Zeit* zu defäzier(en)«.[8]

Anita Albus illustriert also mit dem kleinen Brüllaffen ein tragendes Element des gemeinsam mit Nachtschwalbe und Faultier(en) sowie deren Verwandten gebildeten Bedeutungsfeldes, innerhalb dessen sich das vom Anthropologen erforschte mythische Denken vollzieht. Den Kern dieses Denkens bildet aber das Motiv der *eifersüchtigen Töpferin*; sie ist die Archekünstlerin. Sie betreibt das gefahrbehaftete Handwerk, einen natürlichen Stoff durch den Akt der »Kulturalisierung«[9] zu formen und zu fixieren. Etwas Ähnliches gelingt Anita Albus mit ihrer an Lévi-Strauss geschulten Malerei. Ihre Bilder tragen entscheidend dazu bei, dass die Studie *Die eifersüchtige Töpferin* in ihrer deutschen Übertragung mehr als nur ein akademischer Text über den mythischen Akt kultureller Bedeutungsherstellung ist. Die Malerin leistet mehr, als nur die im Text erwähnten Tiere zu illustrieren oder die ihnen im Mythos zukommenden symbolischen Funktionen sichtbar zu machen. Anita Albus bildet vielmehr die Claude Lévi-Strauss' Text zugrunde liegende empirisch-transzendentale Gesamtkonzeption ab. Dank ihrer Werke gerät der Text seinerseits zu einem beinahe künstlerischen Akt der Mythenerzählung, in welcher der Anthropologe selbst, gewissermaßen als töpfernder Künstler, sein Rohmaterial zu etwas Neuem formt.

1 Siehe zur Freud-Kritik Claude Lévi-Strauss, *Die eifersüchtige Töpferin*, Nördlingen 1987, S. 118 sowie 295–327.
2 Lévi-Strauss, *Die eifersüchtige Töpferin* 1987, S. 62.
3 Anita Albus, *Von seltenen Vögeln,* Frankfurt am Main 2005, S. 135–162; das Bild findet sich dort auf S. 161.
4 Lévi-Strauss, *Die eifersüchtige Töpferin* 1987, S. 132.
5 Lévi-Strauss, *Die eifersüchtige Töpferin* 1987, S. 144.
6 Lévi-Strauss, *Die eifersüchtige Töpferin* 1987, S. 168.
7 Lévi-Strauss, *Die eifersüchtige Töpferin* 1987, S. 189ff.
8 Lévi-Strauss, *Die eifersüchtige Töpferin* 1987, S. 201.
9 Lévi-Strauss, *Die eifersüchtige Töpferin* 1987, S. 286.

DAS BOTANISCHE SCHAUSPIEL
THE BOTANICAL DRAMA

Anita Albus, Das botanische Schauspiel. Vierundzwanzig Blumen, nach dem Leben gemalt und beschrieben *(The Botanical Drama. Twenty-Four Flowers, Painted and Described from Life)*, Frankfurt am Main: Fischer-Verlag, 2007.
188 Seiten, darunter 24 Bilder *188 pages with 24 images*

Dauerleihgabe *Permanent loan*
Karl-Walter Breitling und
Charlotte Breitling-Stiftung
23 Werke *23 works of art*

Schachbrettblume – Fritillaria meleagris L.
Chess Flower – Fritillaria meleagris L.
1985–1987

Schwefelgelber Rittersporn – Delphinium semibarbatum Bien. ex Boiss.
Yellow Larkspur – Delphinium semibarbatum Bien. ex Boiss.
1985–1987

Ananasblume – Eucomis punctata (Thunb.) L'Hérit.
Pineapple Flower – Eucomis punctata (Thunb.) L'Hérit.
1985–1987

Sterngladiole – Acidanthera bicolor Hochst.
Gladiolus murielae – Acidanthera bicolor Hochst.
1985–1987

Weißer Quamash (Prärielilie) – Camassia leichtlinii (Bak.) S. Wats.
White Quamash – Camassia leichtlinii (Bak.) S. Wats.
1985–1987

Tagblume – Commelina tuberosa L.
Dayflower – Commelina tuberosa L.
1985–1987

Schwarze Kosmee – Cosmos atropurpureus (Hook.) Ort.
Chocolate Cosmos – Cosmos atropurpureus (Hook.) Ort.
1985–1987

Kardinalslobelie – Lobelia fulgens Wild.
Cardinal Flower – Lobelia fulgens Wild.
1985–1987

Tigerblume – Tigridia pavonia (L. f.) Ker.-Gaw.
Tiger Flower – Tigridia pavonia (L. f.) Ker.-Gaw.
1985–1987

Kelchenstock – Nierembergia scoparia Sendtn.
Broom Cupflower – Nierembergia scoparia Sendtn.
1985–1987

Schönhäutchen – Hymenocallis x festalis
Spider Lily – Hymenocallis x festalis
1985–1987

Prachtlilie – Lilium speciosum Thunb.
Japanese Lily – Lilium speciosum Thunb.
1985–1987

Porzellanlilie – Lilium hansonii Leichtl.
Japanese Turk's-Cap Lily – Lilium hansonii Leichtl.
1985–1987

Krötenlilie – Tricyrtis hirta (Thunb.) Hook.
Toad Lily – Tricyrtis hirta (Thunb.) Hook.
1985–1987

Japanorchidee – Bletilla striata (Thunb.) Rchb. f.
Hyacinth Orchid – Bletilla striata (Thunb.) Rchb. f.
1985–1987

Scheiniris – Belamcanda chinensis (L.) DC.
Leopard Flower – Belamcanda chinensis (L.) DC.
1985–1987

Quirlkarde – Morina longifolia Wall.
Whorlflower – Morina longifolia Wall.
1985–1987

Scheinorchis – Roscoea purpurea Sm.
Wisley Amethyst – Roscoea purpurea Sm.
1985–1987

Tibet-Sommerprimel – Primula florindae F. K. Ward.
Tibetan Cowslip – Primula florindae F. K. Ward.
1985–1987

Orchideenprimel – Primula viallii Delav. ex Franch.
Vial's Primrose – Primula viallii Delav. ex Franch.
1985–1987

Mandelraute – Gaura lindheimeri Engelm. et A. Gray
Lindheimer's Beeblossom – Gaura lindheimeri Engelm. et A. Gray
1985–1987

Nectaroscordum siculum (Ucria) Lindl.
1985–1987

Pflaumeniris – Iris graminea L.
Plum Iris – Iris graminea L.
1985–1987

Bei den in den Jahren 1985 bis 1987 entstandenen und 2007 erstmals vollständig in dem Buchprojekt *Das botanische Schauspiel* publizierten Werken handelt es sich durchweg um Pflanzendarstellungen.[1] Die mit großer handwerklicher Sorgfalt im Duktus botanischer Zeichnungen und Blumenmalereien des 17. und 18. Jahrhunderts angefertigten Arbeiten bestechen durch ihre detailreiche und geschichtete physische Präsenz. Trotz ihrer räumlichen Tiefe und den zart-frischen Farben erinnern die Darstellungen mitunter an eine Sammlung von gepressten Echtpflanzen. Anita Albus selbst bezeichnet ihre Bilder als dem Genre des Porträts angehörig. Diese Blumenporträts zeigen ihre Modelle »nicht von oben herab«, sondern aus der Perspektive eines gleichwertigen Gegenübers und versetzen die Betrachtenden in die Position von »Gartengesellen«.[2]

Entscheidende Inspirationen gewinnt das Projekt offensichtlich aus Rudolf Borchardts *Katalog der Verkannten, Neuen, Verlorenen, Seltenen, Eigenen*, dem abschließenden Kapitel des bereits 1987 von Anita Albus mit ausgewählten Darstellungen aus dem *Botanischen Schauspiel* illustrierten Buches *Der leidenschaftliche Gärtner*.[3] Ähnlich wie der deutsche Intellektuelle 1938 Pflanzen des eigenen Gartens im italienischen Exil zum Ausgangspunkt für seine Schrift über die Beziehung von Menschen und Pflanzen, von Gartenkunst und Blumenmalerei wählt, porträtiert Anita Albus selbst gezogene Blumen aus dem Garten ihres Wohnsitzes im Burgund. Ihre auf umfassenden Gartenstudien fußenden Arbeiten adaptieren nicht zuletzt die von Borchardt besonders gelobte Kunst holländischer Blumenmaler aus dem 17. Jahrhundert; eine direkte Inspiration bildet das Werk der Blumen- und Insektenmalerin Maria Sibylla Merian.[4]

Anita Albus inszeniert ihr betörendes Pflanzenschauspiel aber nicht zuletzt auch in Anlehnung an die für ihren öffentlichen »theatralischen« Charakter bekannten Sommerexkursionen sowie bisweilen kurios innigen »botanischen Romanzen« des schwedischen Naturforschers Carl von Linné.[5] Auf einen nicht minder innigen Ausflug begeben sich die Leser*innen und Betrachter*innen des *Botanischen Schauspiels*. Jedes der darin ganzseitig präsentierten Werke wird von einem Essay aus assoziativ-anekdotisch zusammengetragenen Informationen zu Herkunft und Verbreitung der jeweiligen Pflanze sowie ihrem botanischen Charakter und bisweilen kurzen Pflegehinweisen begleitet. Besondere Aufmerksamkeit gilt außerdem jenen Persönlichkeiten, deren Namen für die (Erst-) Beschreibung und Erforschung sowie die Aufnahme der jeweiligen Pflanze in das botanische Wissensarchiv stehen. Diese Menschen sind ebenbürtige Protagonisten des Buchprojektes. Mit einer Erweiterung des eigentlichen botanischen Gattungsnamens werden sie für ihre Verdienste gewürdigt. Folgerichtig heißt zum Beispiel die erstmals von Carl von Linné 1753 in seinen *Species Plantarum* vollständig beschriebene Schachbrettblume bei Anita Albus nicht einfach *Fritillaria meleagris*, sondern eben *Fritillaria meleagris L.* [S. 69]. Die *Cosmos atropurpureus* [S. 75] erhält entsprechend in Erinnerung an den Farnforscher William Jackson Hooker den Namenszusatz *Hook.* Mithilfe von Text und Bild zeichnet Anita Albus jene Rollen, die den dargestellten Pflanzen im weltbotanischen Schauspiel auf verschiedenen geografischen Bühnen der Natur- und Kulturgeschichte zukamen oder noch zukommen. So wird der als Auftakt gezeigten *Schachbrettblume* [S. 69] mit Blick auf das malerische Gesamtwerk Anita Albus' die paradigmatische Schlüsselrolle einer »wundersame(n) monochromen Miniatur« zugewiesen.[6] Diese Pflanze gilt als eine der seltenen und vom Aussterben bedrohten Naturschönheiten und wurde wegen ihrer kleinteiligst gezeichneten Blüten im Verlauf der Kulturgeschichte immer wieder zum Vorbild für Kunst und Handwerk. Daneben erhält zum Beispiel der *Schwefelgelbe Rittersporn* [S. 70] die Rolle des »klein(en)«, aber »zäh(en)« Ost-West-Eroberers, avanciert die *Tagblume* [S. 74] aufgrund des strikten Rhythmus ihrer Blütenöffnung und -schließung zur Repräsentantin der »Blumenpünktlichkeit«, gilt die *Schwarze Kosmee* [S. 75] als »verkannte«, aber tatsächlich besonders erotische, ja beinahe anzügliche Schönheit oder fungiert die grasblättrige *Pflaumeniris* [S. 91] als listig duftendes »Siegesemblem«.

Auch ohne den vermittelnden natur- und kulturhistorischen Kontext der Publikation besitzen die Blumendarstellungen des *Botanischen Schauspiels* einen erzählerischen Gehalt. Die ihnen eigene – im wörtlichen Sinne – natürliche Poesie folgt einem vormodernen ästhetischen Programm, das zuvorderst darauf zielt, die unendliche Schönheit der Natur in ihren Details abzubilden. Als Werke der zeitgenössischen Kunst erzählen sie von der Suche nach einer weitgehend verloren gegangenen Kunstfertigkeit der Naturdarstellung. Es handelt sich hier also nicht ausschließlich, aber auch um eine Suchbewegung, die in der fortschreitenden technischen Verfeinerung sowie besonders im Einsatz von selbst angefertigten Farben ablesbar ist. Anita Albus hat dieser Dimension ihrer Laborarbeit, nämlich der Suche nach »verlorenen Farben«, eine eigene Sektion in ihrer Studie *Die Kunst der Künste. Erinnerungen an die Malerei* gewidmet.[7] Die Aneignung dieses Wissens, das sie zum Einsatz von verloren geglaubten Farben befähigt, ist auf eine möglichst exakte Naturnachahmung gerichtet. Der Einsatz von Farbe bildet einen entscheidenden Faktor für die Rehabilitierung der Natur als Quelle kultureller Kreativität und zugleich als ästhetische Kategorie ihrer Malerei. Dennoch wird die Farbe niemals zum autonomen Darstellungsgehalt. Es geht in Anita Albus' Kunst nicht um Impression, Expression oder Abstraktion im Sinne der Moderne. Anita Albus' Einsatz von

Farbe zielt auf die bildnerische Herstellung größtmöglicher Nähe. Es ist ebendieses Bemühen um ästhetische Annäherung und darstellende Identifikation mit den Geschöpfen der Natur, das auch und in besonderer Weise ihre Arbeiten aus der Werkgruppe *Von seltenen Vögeln* auszeichnet.

1 Zu der vorangegangenen Veröffentlichung siehe den Einführungstext von Anette Hüsch im vorliegenden Katalog, S. 11.

2 Anita Albus, *Das botanische Schauspiel. Vierundzwanzig Blumen, nach dem Leben gemalt und beschrieben*, Frankfurt am Main 2007, S. 146.

3 Rudolf Borchardt, *Der leidenschaftliche Gärtner*. Mit zwölf Aquarellen von Anita Albus, Nördlingen 1987.

4 Anita Albus, *Blumen und Insekten. Die Grillen der Maria Sibylla Merian, 1647 bis 1717*, in: dies., *Paradies und Paradox. Wunderwerke aus fünf Jahrhunderten*, Frankfurt am Main 2002, S. 203–213.

5 Zur Bedeutung Carl von Linnés für Anita Albus siehe *Echonamen aus Uppsala*, in: dies., *Käuze und Kathedralen. Geschichten, Essays und Marginalien*, Frankfurt am Main 2014, S. 167–168.

6 *Das botanische Schauspiel* 2007, S. 16.

7 Anita Albus, *Die Kunst der Künste. Erinnerungen an die Malerei*, München 1999 (1997), *Vierter Teil: Aussicht mit zehn verlorenen Farben*, S. 268–368.

VON SELTENEN VÖGELN
ON RARE BIRDS

Anita Albus, Von seltenen Vögeln. Frankfurt am Main: Fischer-Verlag, 2005.
296 Seiten mit zahlreichen Abbildungen, 14 Bilder von Anita Albus, darunter mehrfach publizierte Werke
On Rare Birds, Glasgow 2011. 276 pages with numerous illustrations, 14 images by Anita Albus, with repeatedly published works

Dauerleihgabe *Permanent loan*
Karl-Walter Breitling und
Charlotte Breitling-Stiftung

Eisvogelpaar in einer Landschaft
Pair of Kingfishers in a Landscape
1979/1980

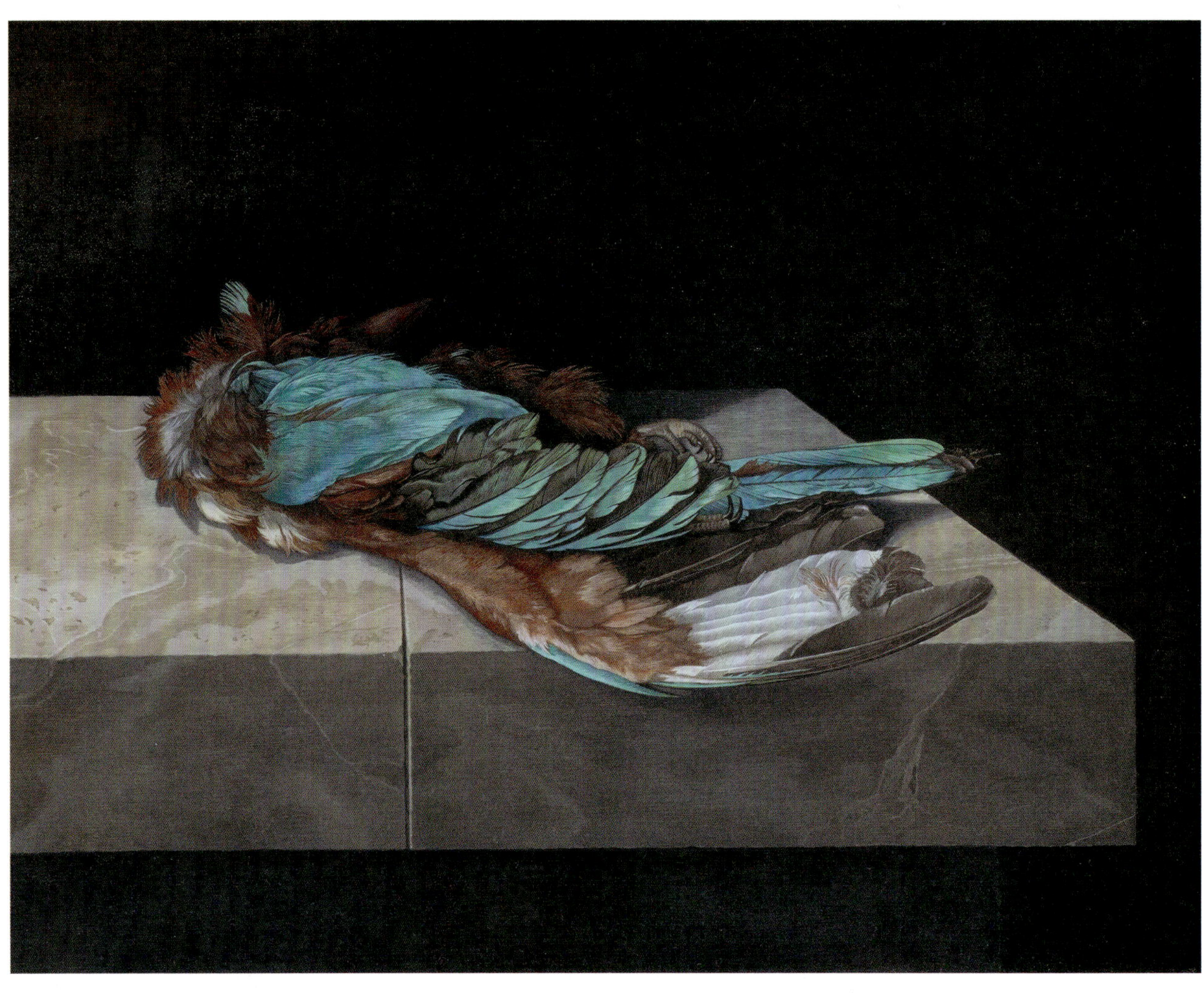

Stillleben mit Braunliestbalg
Still Life with White-Throated Kingfisher Skin
1983

Schleiereule mit Gewölle, bei Tag auf dem Dachboden
Barn Owl with Pellets, during the Day in the Attic
1986

Wachtelkönig
Corncrake
1997/1998

Waldrappe in Weltlandschaft
Waldrapps / Northern Bald Ibises in a World Landscape
1999

Rücken eines Sperbereulenbalgs
Dorsal View of Hawk Owl Skin
2001

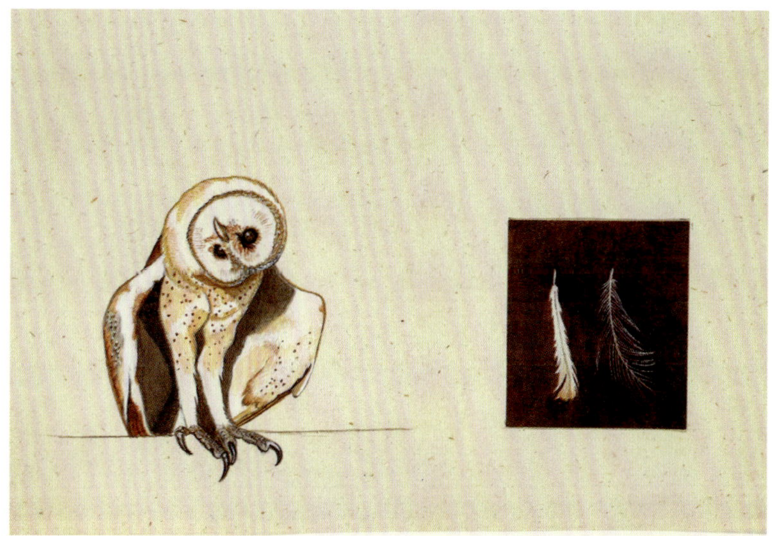

Sonnenbadender Waldrapp in Delta-Wing-Position
Sunbathing Waldrapp in Delta-Wing Posture
2004

Schleiereule, Hals über Kopf / Schleierfedern der vorderen und hinteren Gesichtsscheibe
Barn Owl, Head over Heels / Barn Owl Feathers from Front and Rear Facial Disks
2004

Maracana, Spix-Ara-Weibchen und -Männchen auf einem Caraiba-Ast
Blue-Winged Macaw, Spix's Macaw Female and Male on a Caraiba Branch
2004

Sperbereule am Birkenwald
Northern Hawk-Owl at a Birch Wood
2004

Im Jahre 2005 erscheint Anita Albus' Bild-Text-Band über untergegangene und gefährdete Vogelarten. Illustriert mit eigenen und historischen vogelkundlichen Darstellungen, schildert das Buch Massaker an nordamerikanischen Wandertauben, rekapituliert es das Aussterben der Karolina-Sittiche in den USA, erzählt es von der systematischen Verdrängung der Nordpinguine (Riesenalke) durch den Menschen, oder erinnert es an die Verfolgung zahlreicher südamerikanischer Papageien durch erbarmungslose Profitjäger. Eine besondere Stellung erhält dabei der brasilianische Blau- oder Spix-Ara. Die Erzählung der gescheiterten Zusammenführung des letzten überlebenden Papageienpaares der blau gefiederten Art hat, trotz nüchterner Sprache, manchmal dramatische Qualitäten. Anita Albus imaginiert in ihrem Bild *Maracana, Spix-Ara-Weibchen und -Männchen* [S. 104] den weltweit beachteten, aber letztendlich erfolglosen Versuch der Arterhaltung. Das aus siebenjähriger Gefangenschaft befreite blau gefiederte Weibchen sollte mit einem freilebenden Artgenossen zusammengebracht werden, der aber bereits mit einem grünen Maracana-Papagei in einer Partnerschaft lebte. Anita Albus berichtet von der »unbeirrbare(n) Treue der kleinen Grünen« und bemerkt, dass »die schöne Blaue« nicht länger gewillt war, »mit anzusehen, wie ihr Liebster dem Maracana-Weibchen immer mehr Aufmerksamkeit schenkte«.[1] Anita Albus investiert all ihr malerisches Können in eine naturgetreue Abbildung der besonders schön gefiederten Vögel sowie darüber hinaus in die Darstellung des spannungsreichen Beziehungsgeflechtes der von ihr porträtierten Vogelprotagonisten.

Ein ganz anderer Fokus oder besser: eine abermals vervielfältigte Fokussierung zeigt sich in dem Ölgemälde *Waldrappe in Weltlandschaft* [S. 101]. Der Waldrapp ist Gegenstand des zweiten Kapitels, das von jenen Vogelarten handelt, die heute vom Aussterben bedroht sind. Es stellt Vögel wie den Wachtelkönig, die Nachtschwalbe, die Schleiereule oder den Eisvogel vor. Anita Albus beschreibt die Verhaltensweisen und die Ausbreitung der verschiedenen Arten ebenso wie die von Irrtümern begleitete Erforschung einzelner Vogelarten und die ihnen zugrunde liegenden Mythologien und Fabeln.

Anita Albus' Bild zeigt den Vogel gemeinsam mit Artgenossen in einer epischen Universallandschaft, die eher an die Natur- und Landschaftsmalerei des 15. und 16. Jahrhunderts erinnert[2] und weniger den natürlichen Lebensraum des urzeitlich wirkenden Ibisvogels illustriert. Die Bildkomposition lenkt die Aufmerksamkeit der Betrachter*innen auf die symbolische Bedeutung und kulturhistorische Einbindung des im Vordergrund abgebildeten Federtieres mit seinem charakteristischen schwarz-grün-violett glänzenden Gefieder, dem kahlen, nur von Schopffedern umrahmten Kopf und dem roten gebogenen Schnabel. Neben der ornithologisch genauen sowie maltechnisch wie farblich aufwändigen Darstellung des Vogels finden sich kunsthistorische Verweise auf von Anita Albus so sehr bewunderte Meister wie Jan van Eyck oder Joachim Patinir. Während ihr Patinir als herausragender Repräsentant des Genres der Weltlandschaft gilt, erkennt Anita Albus im Kunstkosmos von Jan van Eyck die Sichtbarmachung des unendlichen Raumkontinuums von Nähe und Ferne durch die malerische Befreiung des dreidimensionalen Raumes.[3] Sie platziert den in der Fachwelt als *Geronticus eremita* bezeichneten Vogel in eine nicht weniger differenziert ausgearbeitete Landschaft enormer Tiefenschärfe. Die Betrachter*innen befinden sich auf Augenhöhe mit dem ausgewachsenen Großvogel auf leicht begrüntem, alpinem Felsvorsprung. In unmittelbarer Nähe sind zwei weitere Vögel dargestellt; einer der beiden ist durch den weniger ausgeprägten Federschopf als Jungvogel ausgewiesen. Über dem Felsen segeln in luftiger Höhe drei Verwandte der für ihre Flügelspannweite von bis zu 125 Zentimetern und ihre besonderen Flugfähigkeiten bekannten Art. Neben der ersten Nahsichtebene bietet das Gemälde gleichzeitig eine die Grenzen menschlicher Wahrnehmung überspringende Fernperspektive, die ein tiefer liegendes Flusstal mit einer von Menschen besiedelten Kulturlandschaft vormoderner Siedlungsstruktur erkennen lässt. Ähnlich wie in Patinirs Gemälde *Ruhe auf der Flucht* (1516/1517) entsteht der Eindruck, dass sich in Anita Albus' Natur-Kultur-Panorama die vertikale und die horizontale Sicht kreuzen.[4] Obwohl es in diesem Werk zuvorderst um die Vertreibung und Flucht der Waldrappe geht, erlauben die gezielte Vervielfältigung von Fluchtpunkten sowie die minutiöse Zusammenführung mikroskopischen und teleskopischen Sehens kein Verharren des Auges. Die Betrachter*innen werden zu »Augenpilger(n)«[5] zwischen den vermeintlichen geometrisch fixierten Wahrnehmungsgegensätzen von feinteiliger Nahsicht und gestaffelter Tiefenschärfe.

Waldrappe in Weltlandschaft ist insofern in mehrfacher Hinsicht ein Erinnerungsbild. Es erinnert zum einen an eine Vogelart, die in Europa bereits seit dem 17. Jahrhundert als vertrieben gilt und heute weltweit vom Aussterben bedroht ist. Das Bild erinnert aber auch an die ungebrochene Aktualität einer vormodernen Malerei, welche die Kunst noch in der Naturbetrachtung suchte und ihr ausgeprägtes handwerkliches Können daher aus der visuellen Rekonstruktion der Schöpfung gewann. Als Sinnbild eines scheinbar unzeitgemäßen Malens warnt Anita Albus mit ihrer Erinnerung an eine verlorene Kunst zugleich in ethischer Hinsicht vor einer zivilisatorischen Zukunft, in der das Wissen um die Einheit und wechselseitige Abhängigkeit von menschlicher Anschauung und nichtmenschlichem Leben unwiderruflich einer umfassenden Ressourcenausbeutung gewichen ist.[6]

Die von Anita Albus gemalten und beschriebenen seltenen Vögel werden zum metaphorischen Spiegel menschlicher Eigenschaften. Manche sind dem Menschen durchaus wesensverwandt dargestellt. Gleichzeitig verweist die Künstlerin immer wieder auf die Anerkennung der Differenz zwischen Mensch und Tier und hebt die Unmöglichkeit hervor, die Weltwahrnehmung von Vögeln nachzuempfinden. Dennoch gewinnt ihre kreative Arbeit wiederholt Züge künstlerischen Forschens; zum Beispiel dann, wenn sich die schreibende Malerin fragt, wie es sich mit der vielfach gelobten optischen und akustischen Wahrnehmung bei der Schleiereule verhält. Zu dem auf hohe Frequenzen ausgelegten Gehör stellt sie etwa fest: »(...) im Kirchturm nistend stört sie das Glockenläuten nicht.« Oder sie mutmaßt, nicht ohne Augenzwinkern, »ob sie nicht sogar das Gras wachsen hören kann«.[7] Anita Albus' Empathie für Eulen ist fraglos besonders ausgeprägt. In *Von seltenen Vögeln* erhält neben der Schleiereule auch die Sperbereule ein eigenes Kapitel.[8] Dabei ist die Identifikation mit dem anmutig-schön gefiederten und bei Nacht lautlos jagenden Eulenvogel so groß, dass sie mit seinen Augen zu sehen und mit seinen Ohren zu hören scheint. Der Mensch gerät in diesem Unterfangen zum »gemeine(n) Zweibeiner«[9] und »›gefährlichsten Gegner‹«[10], den es fest ins Auge zu fassen gilt. Einen solchen Moment hält das auf Kupfer gemalte Ölgemälde *Sperbereule am Birkenwald* [S. 105] fest. Anders als im Falle der *Schleiereule mit Gewölle, bei Tag auf dem Dachboden* [S. 99], »als die Menschen noch wußten, was sie den Vögeln schuldig sind«,[11] und ihnen daher eigene Schutzräume unter den Scheunengiebeln zugedachten, starrt die Sperbereule uns – den Hauptfeind – mit ihren schwefelgelben Augen ebenso konzentriert wie verlegen an. Ihre Birkenmimikry, das äußerliche Anverwandeln des Gefieders an den bevorzugten Taiga-Baum, oder die typische Pfahlstellung vermögen sie nicht vollends zu tarnen. Anita Albus' Bilddarstellung macht vielmehr die am Tage eigentlich unsichtbare Eule sichtbar.

Hier wie in ihrem gesamten der Tier-, Vogel- und Pflanzenwelt gewidmeten malerischen Werk formuliert Anita Albus ein Korrektiv zur dominanten Anthropozän-These: Unsere Vorstellung von der Natur ist nicht – wie heute viele glauben – überholt, weil der Mensch inzwischen die Natur formt und damit Gegensätze wie Kultur/Natur, menschlich/nichtmenschlich oder Subjekt/Objekt längst aufgehoben sind, sondern weil wir vergessen haben, dass unsere kulturelle Existenz immer schon aus der respektvollen Anschauung und kreativen Transformation der Natur gespeist war. Anita Albus' unangepasste Kunst fordert die Rückkehr zu diesem Wissen wechselseitig ökologisch-kultureller Abhängigkeit, um so die Zukunft der menschlichen Kultur allgemein und der Kunst im Besonderen zu sichern. Diese Haltung mag anachronistisch oder gar kulturpessimistisch erscheinen. Anita Albus' Werk repräsentiert aber gerade durch den Verzicht auf jegliche avantgardistische Allüren oder postmoderne Relativismen eine überaus zeitgemäße ökokritische Position, die vielleicht zugleich über unsere eigene Kunst-Gegenwart hinausweist.

1 Anita Albus, *Von seltenen Vögeln*, Frankfurt am Main 2005, S. 65.
2 Siehe den Einführungstext von Anette Hüsch im vorliegenden Katalog, S. 14–15.
3 Anita Albus, *Die Kunst der Künste. Erinnerungen an die Malerei*, München 1999 (1997), S. 17.
4 *Die Kunst der Künste* 1999 (1997), S. 194.
5 *Die Kunst der Künste* 1999 (1997), S. 206.
6 Siehe hierzu das auch in ökokritischer Hinsicht ausgesprochen politisch-ethische Nachwort in: *Von seltenen Vögeln* 2005, S. 223–237.
7 *Von seltenen Vögeln* 2005, S. 165.
8 *Von seltenen Vögeln* 2005, S. 163–194.
9 *Von seltenen Vögeln* 2005, S. 189.
10 Alfred Brehm zit. nach *Von seltenen Vögeln* 2005, S. 188.
11 *Von seltenen Vögeln* 2005, S. 184.

WERKVERZEICHNIS
CATALOGUE RAISONNÉ

Im Folgenden werden sämtliche Bildwerke von Anita Albus in chronologischer Ordnung aufgeführt, die seit Ende der 1960er Jahre entstanden sind. Kleinere Illustrationen und Zeichnungen für Buchpublikationen wurden nicht berücksichtigt.

Falls nicht anders ausgewiesen, handelt es sich bei den einzelnen Positionen um jene Werke, die von der Kunsthalle zu Kiel als Dauerleihgabe der Karl-Walter Breitling und Charlotte Breitling-Stiftung bewahrt werden. Diese sind mit einer Inventarnummer versehen. Die übrigen Werke befinden sich im Besitz der Künstlerin oder in Privatbesitz. Diese Werke werden bis auf neun Leihgaben der Künstlerin hier klein abgebildet.

Bei Maßangaben, denen ein * beigefügt ist, handelt es sich um das Maß des Bildausschnitts. Diese Werke sind derzeit noch fest passepartouriert.

All the works of art which Anita Albus has made since the end of the 1960s are listed in chronological order. Smaller illustrations and drawings for book publications are not listed.

Unless otherwise indicated, the individual pieces are acquisitions which were purchased through the Karl-Walter Breitling and Charlotte Breitling Foundation in 2016 and have remained at the Kunsthalle zu Kiel ever since. They are designated with an inventory number. The other pieces are in the artist's possession or in a private collection. With the exception of nine loans by the artist, these works are reproduced in small size below.

*Measurements followed by an * indicate the size of an image detail. These works of art are currently fixed in a passe-partout.*

Dürers Traum *Dürer's Dream*
Ende 1960er Jahre / Anfang 1970er Jahre
late 1960s / early 1970s
Aquarell und Deckweiß auf Karton und Papier,
aufgeklebtes Foto (A. Dürer, *Traumgesicht*, 1525)
water colour and opaque white on cardboard and paper,
affixed photo (A. Dürer, Dream Vision, *1525)*
24,5 × 45,5 cm
Inv. 2016/KH 76

Das brennende Haus / Das unscheinbare Feuer
The Burning House / The Unassuming Fire
1971
Aquarell und Deckweiß auf Papier
water colour and opaque white on paper
20,1 × 21 cm*
Inv. 2016/KH 72

Eine Landschaft / Der Kopf des Riesen (Wo ist er?) (1)
A Landscape / The Giant's Head (Where Is He?)
1971
Aquarell und Deckweiß auf Papier
water colour and opaque white on paper
19,5 × 21 cm
Privatbesitz *private property*

Der Baum im Haus *The Tree inside the House*
1971/1972
Aquarell und Deckweiß auf Karton
water colour and opaque white on cardboard
19,8 × 21,2 cm*
Inv. 2016/KH 69

Das Haus im Haus *The House inside the House*
1971/1972
Aquarell und Deckweiß auf Karton
water colour and opaque white on cardboard
25,1 × 25,3 cm
Inv. 2016/KH 70

Das Schiff im Klo *The Ship in the Loo*
1971/1972
Aquarell und Deckweiß auf Karton und Papier
water colour and opaque white on cardboard and paper
19,5 × 21 cm*
Inv. 2016/KH 71

Das Schiff im Wald *The Ship in the Forest*
1971/1972
Aquarell und Deckweiß auf Karton
water colour and opaque white on cardboard
20,4 × 21,8 cm*
Inv. 2016/KH 73

1

Der Zug im Meer *The Train in the Sea*
1971/1972
Aquarell und Deckweiß auf Karton
water colour and opaque white on cardboard
19,7 × 21,2 cm*
Inv. 2016/KH 74

Der Waldboden / Der wilde Mann
The Forest Floor / The Wild Man
1972
Aquarell und Deckweiß auf Papier
water colour and opaque white on paper
19,9 × 21,3 cm*
Inv. 2016/KH 75

Der Himmel ist mein Hut, die Erde ist mein Schuh (Titelbild)
The Sky Is My Hat, the Earth My Shoe (Front Cover)
1972
Aquarell und Deckweiß auf Papier
water colour and opaque white on paper
22,8 × 22,8 cm*
Inv. 2016/KH 68

Der Garten der Lieder. Ein Buch für Kinder und Andere (Titelbild)
The Garden of Songs. A Book for Children and Others (Front Cover)
1972–1974
Aquarell und Deckweiß auf Pergament
water colour and opaque white on parchment
17,7 × 11,8 cm*
Inv. 2016/KH 61

Rahmen zu den Medaillons – Der Stieglitz
Frame to the Medallions – The Goldfinch
1972–1974
Aquarell und Deckweiß auf Pergament
water colour and opaque white on parchment
26,4 × 29 cm
Inv. 2016/KH 62

Katze und Zwergkönig / Der Schneider und der Teufel / Schnudelputz Hausstand / Das Hexenspiel
Cat and Dwarf King / The Tailor and the Devil / Schnudelputz Household / The Witch's Game
1972–1974
Aquarell und Deckweiß auf Pergament
water colour and opaque white on parchment
11,9 × 25,7 cm*
Inv. 2016/KH 63

Petersilje Suppenkraut *Parsley Pot Herb*
1972–1974
Aquarell und Deckweiß auf Pergament
water colour and opaque white on parchment
6,9 × 7,8 cm*
Inv. 2016/KH 64

Großmutter Schlangenköchin *Grandmother Snake Cook*
1972–1974
Aquarell und Deckweiß auf Pergament
water colour and opaque white on parchment
6,9 × 13 cm*
Inv. 2016/KH 65

Das bucklicht Männlein *The Little Hunchback*
1972–1974
Aquarell und Deckweiß auf Pergament
water colour and opaque white on parchment
9,7 × 12,2 cm*
Inv. 2016/KH 66

Der Schimmelreiter / Du sollst Vater und Mutter lieben / Rate, was ich hab vernommen
The Rider on the White Horse / Love Your Father and Mother / Guess What I Have Heard
1972–1974
Aquarell und Deckweiß auf Pergament
water colour and opaque white on parchment
15,1 × 14,2 cm*
Inv. 2016/KH 67

Die wilde Frau *The Wild Woman*
1974/1975
Aquarell und Deckweiß auf Pergament, auf Holz aufgezogen
water colour and opaque white on parchment, wood mounted
26,8 × 19,3 cm*
Inv. 2016/KH 56

Vanitas-Schrank *Vanitas Cabinet*
1975
Aquarell und Deckweiß auf Pergament, auf Holz aufgezogen
water colour and opaque white on parchment, wood mounted
16,5 × 11 cm*
Inv. 2016/KH 59

Stillleben mit Eisvogel *Still Life with Kingfisher*
1976
Aquarell und Deckweiß auf Pergament, auf Holz aufgezogen
water colour and opaque white on parchment, wood mounted
17,4 × 12,8 cm*
Inv. 2016/KH 57

Trompe-l'Œil mit zersprungenem Glas
Trompe L'Oeil with Shattered Glass
1976
Aquarell und Deckweiß auf Pergament, auf Holz aufgezogen
water colour and opaque white on parchment, wood mounted
16,6 × 11 cm*
Inv. 2016/KH 58

Non finito (2)
1976
Aquarell und Deckweiß auf Pergament, auf Holz aufgezogen
water colour and opaque white on parchment, wood mounted
17,5 × 13 cm
Privatbesitz *private property*

Quodlibet
1977
Aquarell und Deckweiß auf Pergament, auf Holz aufgezogen
water colour and opaque white on parchment, wood mounted
17,7 × 12,8 cm*
Inv. 2016/KH 60

Trompe-l'Œil mit Florfliege (3)
Trompe L'Oeil with Green Lacewing
1978
Aquarell und Deckweiß auf Pergament, auf Holz aufgezogen
water colour and opaque white on parchment, wood mounted
17,5 × 13 cm
Privatbesitz *private property*

Alphabet des Geburtstagebuchs A–O
Alphabet of the Birthday Book A–O
1978
Aquarell und Deckweiß auf Pergament
water colour and opaque white on parchment
14,8 × 10,1 cm
Inv. 2016/KH 54

Alphabet des Geburtstagebuchs P–Z
Alphabet of the Birthday Book P–Z
1978
Aquarell und Deckweiß auf Pergament
water colour and opaque white on parchment
14,8 × 10 cm
Inv. 2016/KH 55

Schamanenkette und Callithea leprieuri (Brasilien) (4)
Shaman's Necklace and Callithea leprieuri (Brazil)
1978
Aquarell und Deckweiß und Ölfarbe auf Pergament,
auf Holz aufgezogen
water colour and opaque white and oil on parchment,
wood mounted
17 × 12 cm
Im Besitz der Künstlerin *property of the artist*

Eisvogelpaar in einer Landschaft
Pair of Kingfishers in a Landscape
1979/1980
Aquarell und Deckweiß auf Pergament, auf Holz aufgezogen
water colour and opaque white on parchment, wood mounted
23,5 × 16 cm
Inv. 2016/KH 45

Stillleben mit Braunliestbalg
Still Life with White-Throated Kingfisher Skin
1983
Aquarell und Deckweiß auf Pergament
water colour and opaque white on parchment
17,2 × 22 cm
Inv. 2016/KH 46

Rebus
1984
Aquarell auf Papier, zweiteilig, je
water colour on paper two-piece, each
22,3 × 17,5 cm
Inv. 2016/KH 53_1 und 2016/KH 53_2

Schachbrettblume – Fritillaria meleagris L.
Chess Flower – Fritillaria meleagris L.
1985–1987
Aquarell und Deckweiß auf Papier
water colour and opaque white on paper
36 × 26 cm
Inv. 2016/KH 17

Schwefelgelber Rittersporn – Delphinium semibarbatum Bien. ex Boiss.
Yellow Larkspur – Delphinium semibarbatum Bien. ex Boiss.
1985–1987
Aquarell und Deckweiß auf Papier
water colour and opaque white on paper
47,4 × 31,7 cm
Inv. 2016/KH 18

2

3

4

Ananasblume – Eucomis punctata (Thunb.) L'Hérit.
Pineapple Flower – Eucomis punctata (Thunb.) L'Hérit.
1985–1987
Aquarell und Deckweiß auf Papier
water colour and opaque white on paper
46,1 × 27 cm
Inv. 2016/KH 19

Sterngladiole – Acidanthera bicolor Hochst.
Gladiolus murielae – Acidanthera bicolor Hochst.
1985–1987
Aquarell und Deckweiß auf Papier
water colour and opaque white on paper
48 × 31,3 cm
Inv. 2016/KH 20

Weißer Quamash – Camassia leichtlinii (Bak.) S. Wats.
White Quamash – Camassia leichtlinii (Bak.) S. Wats.
1985–1987
Aquarell und Deckweiß auf Papier
water colour and opaque white on paper
47 × 25,9 cm
Inv. 2016/KH 21

Tagblume – Commelina tuberosa L.
Dayflower – Commelina tuberosa L.
1985–1987
Aquarell und Deckweiß auf Papier
water colour and opaque white on paper
46,7 × 28,7 cm
Inv. 2016/KH 22

Schwarze Kosmee – Cosmos atropurpureus (Hook.) Ort.
Chocolate Cosmos – Cosmos atropurpureus (Hook.) Ort.
1985–1987
Aquarell und Deckweiß auf Papier
water colour and opaque white on paper
39,7 × 25,5 cm
Inv. 2016/KH 23

Kardinalslobelie – Lobelia fulgens Wild.
Cardinal Flower – Lobelia fulgens Wild.
1985–1987
Aquarell und Deckweiß auf Papier
water colour and opaque white on paper
46,3 × 31,4 cm
Inv. 2016/KH 24

Tigerblume – Tigridia pavonia (L. f.) Ker.-Gaw.
Tiger Flower – Tigridia pavonia (L. f.) Ker.-Gaw.
1985–1987
Aquarell und Deckweiß auf Papier
water colour and opaque white on paper
41,7 × 26 cm
Inv. 2016/KH 25

Kelchenstock – Nierembergia scoparia Sendtn.
Broom Cupflower – Nierembergia scoparia Sendtn.
1985–1987
Aquarell und Deckweiß auf Papier
water colour and opaque white on paper
44,9 × 32 cm
Inv. 2016/KH 26

Schönhäutchen – Hymenocallis x festalis
Spider Lily – Hymenocallis x festalis
1985–1987
Aquarell und Deckweiß auf Papier
water colour and opaque white on paper
46 × 26 cm
Inv. 2016/KH 27

Prachtlilie – Lilium speciosum Thunb.
Japanese Lily – Lilium speciosum Thunb.
1985–1987
Aquarell und Deckweiß auf Papier
water colour and opaque white on paper
46,3 × 31,1 cm
Inv. 2016/KH 28

Porzellanlilie – Lilium hansonii Leichtl.
Japanese Turk's-Cap Lily – Lilium hansonii Leichtl.
1985–1987
Aquarell und Deckweiß auf Papier
water colour and opaque white on paper
42,1 × 30,2 cm
Inv. 2016/KH 29

Krötenlilie – Tricyrtis hirta (Thunb.) Hook.
Toad Lily – Tricyrtis hirta (Thunb.) Hook.
1985–1987
Aquarell und Deckweiß auf Papier
water colour and opaque white on paper
39 × 26 cm
Inv. 2016/KH 30

Japanorchidee – Bletilla striata (Thunb.) Rchb. f.
Hyacinth Orchid – Bletilla striata (Thunb.) Rchb. f.
1985–1987
Aquarell und Deckweiß auf Papier
water colour and opaque white on paper
26,3 × 19,5 cm
Inv. 2016/KH 31

Scheiniris – Belamcanda chinensis (L.) DC.
Leopard Flower – Belamcanda chinensis (L.) DC.
1985–1987
Aquarell und Deckweiß auf Papier
water colour and opaque white on paper
48 × 28 cm
Inv. 2016/KH 32

Quirlkarde – Morina longifolia Wall.
Whorlflower – Morina longifolia Wall.
1985–1987
Aquarell und Deckweiß auf Papier
water colour and opaque white on paper
46,3 × 31,8 cm
Inv. 2016/KH 33

Scheinorchis – Roscoea purpurea Sm.
Wisley Amethyst – Roscoea purpurea Sm.
1985–1987
Aquarell und Deckweiß auf Papier
water colour and opaque white on paper
47 × 31,3 cm
Inv. 2016/KH 34

Tibet-Sommerprimel – Primula florindae F. K. Ward.
Tibetan Cowslip – Primula florindae F. K. Ward.
1985–1987
Aquarell und Deckweiß auf Papier
water colour and opaque white on paper
46,9 × 29,5 cm
Inv. 2016/KH 35

Orchideenprimel – Primula viallii Delav. ex Franch.
Vial's Primrose – Primula viallii Delav. ex Franch.
1985–1987
Aquarell und Deckweiß auf Papier
water colour and opaque white on paper
38,8 × 24,9 cm
Inv. 2016/KH 36

Himalaja-Scheinmohn – Meconopsis betonicifolia Franch. (5)
Himalayan Poppy – Meconopsis betonicifolia Franch.
1985–1987
Aquarell mit Deckweiß auf Papier
water colour and opaque white on paper
46 x 31 cm
Privatbesitz *private property*

Mandelraute – Gaura lindheimeri Engelm. et A. Gray
Lindheimer's Beeblossom – Gaura lindheimeri Engelm. et A. Gray
1985–1987
Aquarell und Deckweiß auf Papier
water colour and opaque white on paper
33,9 x 24 cm
Inv. 2016/KH 37

Nectaroscordum siculum (Ucria) Lindl.
1985–1987
Aquarell und Deckweiß auf Papier
water colour and opaque white on paper
34,7 x 21,5 cm
Inv. 2016/KH 38

Pflaumeniris – Iris graminea L.
Plum Iris – Iris graminea L.
1985–1987
Aquarell und Deckweiß auf Papier
water colour and opaque white on paper
33,9 x 24 cm
Inv. 2016/KH 39

Machen vom Machandelboom
The Fairy Tale of the Juniper Tree
1986
Aquarell und Deckweiß auf Papier, auf Karton aufkaschiert
water colour and opaque white on paper, laminated on cardboard
29,6 x 20,9 cm
Inv. 2016/KH 52

5

Schleiereule mit Gewölle, bei Tag auf dem Dachboden
Barn Owl with Pellets, during the Day in the Attic
1986
Öl auf Kupfer *oil on copper*
35 × 19,3 cm
Inv. 1153

Die Nachtschwalbe – Caprimulgus europaeus
European Nightjar – Caprimulgus europaeus
1987
Aquarell und Deckweiß auf Papier
water colour with opaque white on paper
19,6 × 12,1 cm
Inv. 2016/KH 47

Das zweizehige Faultier – Choloepus didactylus
Linnaeus's Two-Toed Sloth – Choloepus didactylus
1987
Aquarell und Deckweiß auf Papier
water colour and opaque white on paper
19,3 × 12,6 cm
Inv. 2016/KH 48

Das dreizehige Faultier – Bradypus tridactylus
Pale-Throated Three-Toed Sloth – Bradypus tridactylus
1987
Aquarell und Deckweiß auf Papier
water colour and opaque white on paper
24 × 16,9 cm
Inv. 2016/KH 49

Der kleine Ameisenbär – Tamandua tetradactyla
Lesser Anteater – Tamandua tetradactyla
1987
Aquarell und Deckweiß auf Papier
water colour and opaque white on paper
21,9 × 12 cm
Inv. 2016/KH 50

Der rote Brüllaffe – Alouatta seniculus
Venezuelan Red Howler – Alouatta seniculus
1987
Aquarell und Deckweiß auf Papier
water colour and opaque white on paper
22 × 11,9 cm
Inv. 2016/KH 51

Eichhörnchen im Buchenwald
Squirrel in a Beech Grove
1989–2012
27,5 × 16,1 cm
Aquarell auf Papier, auf Holz aufgezogen
water colour on paper, wood mounted
Im Besitz der Künstlerin *property of the artist*

Wachtelkönig *Corncrake*
1997/1998
Öl auf Pergament
oil on parchment
17,5 × 11 cm
Inv. 2016/KH 42

Waldrappe in Weltlandschaft
Waldrapps / Northern Bald Ibises in a World Landscape
1999
Öl auf Leinwand auf Holz
oil on canvas on wood
18,1 × 24 cm
Inv. 1154

Rücken eines Sperbereulenbalgs
Dorsal View of Hawk Owl Skin
2001
Aquarell und Deckweiß auf Papier
water colour and opaque white on paper
31,5 × 19,8 cm*
Inv. 2016/KH 44

Maracana, Spix-Ara-Weibchen und -Männchen auf einem Caraiba-Ast
Blue-Winged Macaw, Spix's Macaw Female and Male on a Caraiba Branch
2004
Aquarell und Deckweiß auf Papier
water colour and opaque white on paper
30,1 × 19,7 cm
Inv. 2016/KH 40

Sonnenbadender Waldrapp in Delta-Wing-Position
Sunbathing Waldrapp in Delta-Wing Posture
2004
Aquarell und Deckweiß auf Papier
water colour and opaque white on paper
12,7 × 10,4 cm
Inv. 2016/KH 41

Schleiereule, Hals über Kopf / Schleierfedern der vorderen und hinteren Gesichtsscheibe
Barn Owl, Head over Heels / Barn Owl Feathers from Front and Rear Facial Disks
2004
Aquarell und Deckweiß auf Papier
water colour and opaque white on paper
ca. 15 × 16,4 cm
Inv. 2016/KH 43

Sperbereule am Birkenwald
Northern Hawk-Owl at a Birch Wood
2004
Öl auf Kupfer
oil on copper
24,1 × 18,1 cm
Inv. 1155

Isabellaspinner *Spanish Moon Moth* (6)
2012
Aquarell und Deckweiß auf Pergament
water colour and opaque white on parchment
11,4 × 11,4 cm
Im Besitz der Künstlerin *property of the artist*

Ideallandschaft des Isabella-Falters (7)
Ideal Landscape of the Spanish Moon Moth
2013
Aquarell und Deckweiß auf Papier
water colour and opaque white on paper
16 × 19,6 cm
Im Besitz der Künstlerin *property of the artist*

Raupe des Isabella-Falters (8)
Caterpillar of the Spanish Moon Moth
2013
Aquarell und Deckweiß auf Papier
water colour and opaque white on paper
12,7 × 19 cm
Im Besitz der Künstlerin *property of the artist*

Raupe des Nachtschwalbenschwanzes
Caterpillar of the Swallow-Tailed Moth
2014
Aquarell und Deckweiß auf Papier
water colour and opaque white on paper
12 × 12 cm
Im Besitz der Künstlerin *property of the artist*

Chrysiridia rhipheus (9)
2015
Aquarell und Deckweiß auf Pergament
water colour and opaque white on parchment
11,2 × 11,7 cm
Im Besitz der Künstlerin *property of the artist*

Papilio zalmoxis ♂ (10)
2015
Aquarell und Deckweiß auf Pergament
water colour and opaque white on parchment
9 × 14,7 cm
Im Besitz der Künstlerin *property of the artist*

Trogonoptera trojana ♀ (11)
2016
Aquarell und Deckweiß auf Papier
water colour and opaque white on paper
11 × 15,8 cm
Im Besitz der Künstlerin *property of the artist*

Trogonoptera trojana ♂ (12)
2016
Aquarell und Deckweiß auf Papier
water colour and opaque white on paper
14 × 11,4 cm
Im Besitz der Künstlerin *property of the artist*

6

7

8

9

10

11

12

Cavaillon-Melone *Cavaillon Melon* (13)
undatiert *undated*
Bleistift auf Papier
pencil on paper
7,3 × 9,2 cm
Im Besitz der Künstlerin *property of the artist*

Flügel von Smyrna blomfildia in Originalgröße (14)
Wing of Blomfild's Beauty in Original Size
undatiert *undated*
Aquarell und Deckweiß auf Pergament
watercolour and opaque white on paper
4 × 4 cm
Im Besitz der Künstlerin *property of the artist*

Flügel von Smyrna blomfildia vergrößert (15)
Wing of Blomfild's Beauty, Enlarged
undatiert *undated*
Aquarell und Deckweiß auf Pergament
watercolour and opaque white on paper
7 × 7 cm
Im Besitz der Künstlerin *property of the artist*

Flügel von Smyrna blomfildia in Originalgröße,
entlang der Flügeladern separierte Zellen (16)
Wing of Blomfild's Beauty in Original Size,
Its Cells Separated along the Wing Veins
undatiert *undated*
Aquarell und Deckweiß auf Pergament
watercolour and opaque white on paper
6 × 6 cm
Im Besitz der Künstlerin *property of the artist*

Grünwidderchen, Adscita statices (17)
Green Forester, Adscita statices
undatiert *undated*
Aquarell und Deckweiß auf Papier
watercolour and opaque white on paper
11,4 × 9,9 cm
Im Besitz der Künstlerin *property of the artist*

Smaragd-Schwalbenschwanz, Papilio palinurus (18)
Emerald Swallowtail, Papilio palinurus
undatiert *undated*
Aquarell und Deckweiß auf Papier
watercolour and opaque white on paper
16,9 × 12,9 cm
Im Besitz der Künstlerin *property of the artist*

Holunderspanner, Ourapteryx sambucaria (19)
Swallow-tailed Moth, Ourapteryx sambucaria
undatiert *undated*
Aquarell und Deckweiß auf Papier
watercolour and opaque white on paper
12 × 12 cm
Im Besitz der Künstlerin *property of the artist*

Enzian-Ameisenbläuling, Maculinea alcon (20)
Alcon Blue, Maculinea alcon
undatiert *undated*
Aquarell und Deckweiß auf Papier
watercolour and opaque white on paper
18,8 × 12,9 cm
Im Besitz der Künstlerin *property of the artist*

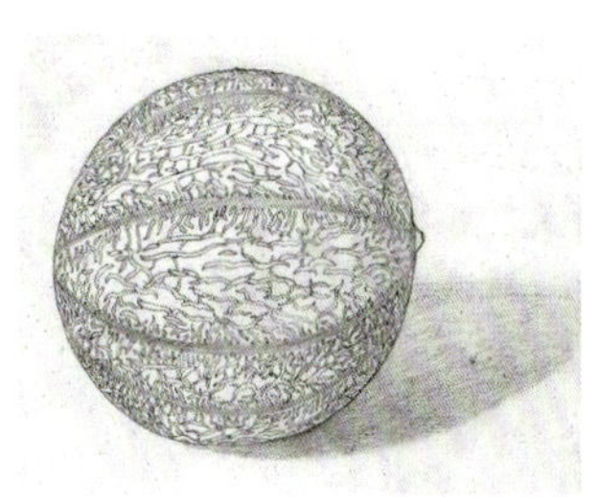
13

14

15

16

17

18

19

20

BIOGRAFIE

1942 Geboren als Anita Fleitmann in München
Aufgewachsen in Wolfratshausen, im Teutoburger Wald und im Sauerland
Lebt und arbeitet in München und im Burgund (1982–2020)

1960–1964 Studium der freien Grafik an der Folkwangschule für Gestaltung in Essen-Werden
1964 Heirat und 1965 Geburt der Tochter
1968–1971 Mitarbeit in einem antiautoritären Kindergarten
Seit 2004 Mitglied der Deutschen Akademie für Sprache und Dichtung
Seit 2006 Mitglied der Bayerischen Akademie der Schönen Künste

Auszeichnungen

2014 Bayerischer Maximiliansorden für Wissenschaft und Kunst
2009 Chevalier de l'Ordre des Arts et des Lettres
2008 Erwin-Strittmatter-Preis
2004 Johann-Heinrich-Merck-Preis
2002 Friedrich-Märker-Preis
2001 Bundesverdienstkreuz für ihre Verdienste als Repräsentantin der deutschen Kultur in Frankreich

Einzelausstellungen

2012/2013 *Im Spiegel der Natur / Dans le miroir de la nature*, Institut Pierre Werner, Luxemburg
2012 *Von seltenen Vögeln und Pflanzen. Das künstlerische Werk von Anita Albus*, Detlefsen-Museum im Brockdorff-Palais, Glückstadt
2004 *Raritäten*, Hessisches Landesmuseum Darmstadt
1990 *Anita Albus*, Schloss Neuhaus, Salzburg, Muzejski Prostor, Zagreb
1980 *Anita Albus. Aquarelle 1970 bis 1980*, Museum Villa Stuck, München

Gruppenausstellungen

2014 *Die Bilderbücher des Insel-Verlages*, Bilderbuchmuseum der Stadt Troisdorf
2013 *Old School. Anachronismus in der zeitgenössischen Kunst*, Kunsthalle zu Kiel

BIOGRAPHY

1942 Born as Anita Fleitmann in Munich
Grew up in Wolfratshausen, Teutoburg Forest and the Sauerland region
Lives and works in Munich and Burgundy (1982–2020)

1960–1964 Studied Graphic Arts at the Folkwangschule für Gestaltung in Essen-Werden
1964 Marriage and birth of her daughter in 1965
1968–1971 Collaboration in an anti-authoritarian Kindergarten
Since 2004 Member of the German Academy for Language and Literature
Since 2006 Member of the Bavarian Academy of Fine Arts

Awards

2014 Bavarian Maximilian Order for Science and Art
2009 Chevalier in the Order of Arts and Letters in France
2008 Erwin Strittmatter Prize
2004 Johann Heinrich Merck Award
2002 Friedrich Märker Prize
2001 The Order of Merit of the Federal Republic of Germany for her services as a representative of German culture in France

Solo Exhibitions

2012/2013 *Im Spiegel der Natur / Dans le miroir de la nature*, Institut Pierre Werner, Luxembourg
2012 *Von seltenen Vögeln und Pflanzen. Das künstlerische Werk von Anita Albus*, Detlefsen-Museum in Brockdorff-Palais, Glückstadt
2004 *Raritäten*, Hessisches Landesmuseum Darmstadt
1990 *Anita Albus*, Schloss Neuhaus, Salzburg, Muzejski Prostor, Zagreb
1980 *Anita Albus. Aquarelle 1970 bis 1980*, Museum Villa Stuck, Munich

Group Exhibitions

2014 *Die Bilderbücher des Insel-Verlages*, Bilderbuchmuseum der Stadt Troisdorf
2013 *Old School. Anachronism in Contemporary Art*, Kunsthalle zu Kiel

BIBLIOGRAFIE *BIBLIOGRAPHY*

Anita Albus – Bücher *Books*

Affentheater, Frankfurt am Main 2022 (in Vorbereitung *in preparation*).

Sonnenfalter und Mondmotten, Frankfurt am Main 2019.

Käuze und Kathedralen. Geschichten, Essays und Marginalien, Frankfurt am Main 2014.

Wandelwunder. Über die Metamorphose des Schmetterlings, hrsg. v. *ed. by* Brigitte Labs-Ehlert, Detmold 2013.

Im Licht der Finsternis. Über Proust, Frankfurt am Main 2011.

Das botanische Schauspiel. Vierundzwanzig Blumen, nach dem Leben gemalt und beschrieben, Frankfurt am Main 2007.

Das Los der Lust. Ein Versuch über Tania Blixen, Frankfurt am Main 2007.

Von seltenen Vögeln, Frankfurt am Main 2005 *On Rare Birds*, Glasgow 2011.

Paradies und Paradox. Wunderwerke aus fünf Jahrhunderten, Frankfurt am Main 2002.

Die Kunst der Künste. Erinnerungen an die Malerei, Frankfurt am Main 1997 (zweite Auflage München 1999) *The Art of Arts. Rediscovering Painting*, New York 2000.

Liebesbande. Erzählungen, München 1993.

Farfallone. Ein Roman in Briefen, München, Wien 1989.

Das botanische Schauspiel. 21 Blumen, nach dem Leben gemalt und beschrieben, Nördlingen 1987.

Eia popeia et cetera. Eine Sammlung alter Wiegenlieder aus dem Volk, Frankfurt am Main 1978 (lim. Ausg. *lim. ed.*; erscheint *published* 1987 in Insel-Bücherei Nr. *No.* 1037).

Der Garten der Lieder. Ein Buch für Kinder und Andere, Frankfurt am Main 1974 (mit *with* Friedrich Kur).

Der Himmel ist mein Hut, die Erde ist mein Schuh. Ein Bilderbuch für kleine und große Leute, Frankfurt am Main 1973.

Maskulin – Feminin. Die Sexualität ist das Unnatürlichste von der Welt, hrsg. v. *ed. by* Anita Albus u. a. *et al.* München 1972.

Anita Albus – Beiträge in Sammelbänden sowie Vor- und Nachworte *Articles in edited volumes including prefaces and afterwords*

Peter Zumthor im Gespräch mit Anita Albus, in: *Dear to me. Peter Zumthor im Gespräch / in Conversation*, Zürich 2021.

Interview mit Anita Albus, in: Kanton Bern, WerkBuch/Œuvre d'Artiste, (Hrsg. *Ed.*), *BlumenLese*, St. Gallen 2017, S. *pp.* 33 ff. *et seq.*

Die Gabe der Schildkröte, in: Johann David Schoepf, *Naturgeschichte der Schildkröten*, Berlin 2017, S. *pp.* 7–12.

Kein Löwe weit und breit, in: *Unter freiem Himmel. Landschaft sehen, lesen, hören*, hrsg. v. *ed. by* Kirsten Claudia Voigt, Pia Müller-Tamm, Ausst.-Kat. *exh. cat.* Staatliche Kunsthalle Karlsruhe, Bielefeld 2017, S. *pp.* 40–45.

Fabre und Proust, in: Jean-Henri Fabre, *Erinnerungen eines Insektenforschers*, Bd. *vol.* 7, Berlin 2015, S. *pp.* 343–351.

Pilzpanorama – Panorama mycologique, in: Jean-Henri Fabre, *Pilze*, Berlin 2015, S. *pp.* 6–17.

D'Arcy Wentworth Thompson – Gelehrter, Sammler, Morphologe, in: D'Arcy Wentworth Thompson, *Über Wachstum und Form*, Frankfurt am Main 2006, S. *pp.* 451–456.

Eine Anamorphose und siebzig Anagramme aus Hans Magnus Enzensberger, in: Rainer Wieland (Hrsg. *Ed.*), *Der Zorn altert, die Ironie ist unsterblich. Über Hans Magnus Enzensberger*, Frankfurt am Main 1999, S. *pp.* 115–117.

Lob der Kindheit, in: Jörg Drews (Hrsg. *Ed.*), *Zum Kinderbuch. Betrachtungen, Kritisches, Praktisches*, Frankfurt am Main 1975, S. *pp.* 109–117

Neue psychoanalytische Theorien der weiblichen Sexualität, in: *Maskulin – Feminin. Die Sexualität ist das Unnatürlichste von der Welt*, hrsg. v. *ed. by* Anita Albus u. a. *et al.*, München 1972, S. *pp.* 169–200.

Verstehst? Nachwort zur zweiten Auflage (mit *with* Frank Böckelmann, Rita Mühlbauer), in: ebd. *ibid.*, München 1975, S. *pp.* 269–289.

Selbstbestimmung des Konsumenten (mit *with* Dietrich Leube), in: Frank Böckelmann (Hrsg. *Ed.*), *Befreiung des Alltags. Modelle eines Zusammenlebens ohne Leistungsdruck, Frustration und Angst*, München 1970, S. *pp.* 35–39.

Anita Albus – Illustrationen für andere Autor*innen *Illustrations for other authors*

Christoph Ransmayr, *Die letzte Welt*, Frankfurt am Main 1988.

Rudolf Borchardt, *Der leidenschaftliche Gärtner*, Nördlingen 1987.

Wolfgang Koeppen, *Von dem Machandelboom. Ein Märchen nach Philipp Otto Runge*, Frankfurt am Main 1987.

Claude Lévi-Strauss, *Die eifersüchtige Töpferin*, Nördlingen 1987.

Claude Lévi-Strauss, *Der Blick aus der Ferne*, Frankfurt am Main 1985.

Elisabeth Borchers, *Das sehr nützliche Merkbuch für Geburtstage. Geschmückt mit Bildern von Anita Albus*, Frankfurt am Main 1984.

Suzy Siddons, Mathew Price, *Days to Remember*, London 1979.

Friedhelm Klein, Wolfgang Zacharias (Hrsg. *Ed.*), *Dürer-Spielbuch*, München 1971.

Sybille Schall, *Berliner Küche. Aal jrün, Buletten, Pfannkuchen und was man sonst noch alles zwischen Ku-Damm und Wedding isst und trinkt*, München 1970.

Eberhard Merker, *Die schönsten Kinderlieder. 110 Lieder mit Noten für die Kleinen und für die Großen*, München 1970.

Anita Albus als Übersetzerin *as translator*

Edmond de Goncourt, *Blitzlichter. Portraits aus dem 19. Jahrhundert*, Nördlingen 1989.

Ausstellungskataloge *Exhibition catalogues*

Anita Albus. Die Kunst zu sehen, hrsg. v. *ed. by* Anette Hüsch, Ausst.-Kat. *exh. cat.* Kunsthalle zu Kiel, Kiel 2017.

Old School. Anachronismus in der zeitgenössischen Kunst, hrsg. v. *ed. by* Anette Hüsch, Natascha Driever, Ausst.-Kat. *exh. cat.* Kunsthalle zu Kiel, Kiel 2013.

Anita Albus, hrsg. v. *ed. by* Ante Sorić, Elisabeth und *and* Nikolaus Topić-Matutin, Ausst.-Kat. *exh. cat.* Schloss Neuhaus, Salzburg, Muzejski Prostor, Zagreb, 1990.

Anita Albus. Aquarelle 1970 bis 1980, Ausst.-Kat. *exh. cat.* Stuck-Villa München, 1980.

Archiv *Archive*

Akademie der Künste (AdK), Berlin, Anita-Albus-Archiv

Korrespondenz, u. a. mit *correspondence, i. a. with* Arno Borst, Christian Enzensberger, Hans Magnus Enzensberger, Robert Gernhardt, Claude Lévi-Strauss, Martin Mosebach, Christoph Ransmayr, Peter Rühmkorf, Robert Spaemann. Archiv im Aufbau *Archive under development.*

Our deepest gratitude is due to Anita Albus.

The Kunsthalle zu Kiel thanks
the Karl-Walter Breitling and Charlotte Breitling Foundation.

A WARM WELCOME ON BEHALF OF THE KARL-WALTER BREITLING AND CHARLOTTE BREITLING FOUNDATION

The acquisition of 63 works by the artist Anita Albus for the Kunsthalle zu Kiel in 2016 is the most extensive purchase made by the Karl-Walter Breitling and Charlotte Breitling Foundation since its inauguration in 1993. Following the acquisition of works by Carl Spitzweg, Louis Gurlitt, Erich Heckel, Lovis Corinth and Lesser Ury, whose purchase extended the holdings of the Kunsthalle zu Kiel, the museum now has an almost complete collection of the works produced between 1970 and 2004 by Anita Albus. In doing so, we have extensively met the patron couple's wish to acquire figurative art.

This publication pays tribute to the artist, researcher and writer Anita Albus, as well as to the purchase made by the Karl-Walter Breitling and Charlotte Breitling Foundation. Not even the most excellent prints, however, can fully reproduce the originals. Therefore, may this catalogue be an invitation to view the original works of the artist in the Kunsthalle zu Kiel.

This purchase would not have been possible without the ceaselessly reliable services of the members of the board of directors of the Karl-Walter Breitling and Charlotte Breitling Foundation. I would like to take this occasion to thank Dr. Jörn Winterfeld in particular for his intensive efforts.

On behalf of the entire foundation, our respect and heartfelt thanks are due to the artist Anita Albus, who has entrusted the Kunsthalle zu Kiel with the purchase of her works via the foundation.

Prof. Dr. Dr. h.c. Gerhard Fouquet

Chair of Economic and Social History, CAU Kiel
Chair of the Karl-Walter Breitling and Charlotte Breitling Foundation

Board of Directors
Dr. Anette Hüsch, Kunsthalle zu Kiel
Friederike Rummer, Kunststiftung HSH Nordbank

Foundation Council
Dr. Bernd Brandes-Druba, Sparkassen- und Giroverband für Schleswig-Holstein
Prof. Dr. Ulrich Schulte-Wülwer, Art historian
Dr. Martin Skaruppe, Förde Sparkasse
Dr. Jörn Winterfeld, Lawyer

Anette Hüsch
THE ART OF SEEING

In October 1979, Anita Albus wrote that her first attempts to interest museum curators in her work were akin to »encounters with the blind«: »(...) had I spread out the contents of my waste-paper basket in front of them, I might have elicited more sympathy, because such original ideas are always more plausible to them than my pictures.«[1] In the following year, through the intercession of the major French anthropologist Claude Lévi-Strauss (1908–2009), Anita Albus received her first solo exhibition in Munich's »Stuck-Villa«, as it was referred to on the cover of the catalogue.[2] Further shows followed; however, more than 20 years lay between her first exhibition in 1980 and the next in the Hessisches Landesmuseum Darmstadt in 2004. And it took another eight years until her pictures were exhibited at the Detlefsen-Museum in Brockdorff-Palais in Glückstadt and at the Pierre Werner Institute in Luxembourg in 2012. The fact that this monographic publication is the first to cover Anita Albus' artistic work comprehensively since 1980, and that this exhibition is the second monograph of hers to be shown in an art museum at all, underlines the fact that the artist has not yet received the attention she long deserves.

With this exhibition and publication, a tribute is paid to the acquisition of 63 of Anita Albus' works by the Karl-Walter Breitling and Charlotte Breitling Foundation in 2016, which have been added to holdings of the Kunsthalle zu Kiel. The paintings exemplify the development of Anita Albus' artistic work from its beginnings to more recent works from 2004. In synopsis with her texts, the exhibition also illustrates her transformation from being a painter who writes to a writer who paints.[3] This shift is linked not only to the topics that she explores as a writer, but also to the great strain on the painter's eyesight: the art of seeing and painting, in observing the object and transferring it to canvas, in such a manner as Anita Albus – down to the smallest, barely noticeable detail – requires the highest level of concentration and accuracy. Such an activity can only be carried out for a few hours every day so as not to overstrain the eyes completely.

Anita Albus was born in Munich in 1942 and grew up in Wolfratshausen, the Teutoburg Forest and the Sauerland region. In 1960, she embarked on a course in Graphic Arts at the Folkwangschule für Gestaltung in Essen. However, the course was only the first step along her educational path: her artistic, literary and research work is characterised by a self-taught approach. Anita Albus has lived in Munich since 1964 and spent the summer months in Burgundy between 1982 and 2020. She owed her residence there to Claude and Monique Lévi-Strauss, who will be mentioned several times in the following essay.

Smaller illustrations by Anita Albus were published in 1970 in two books; one featured Berlin cuisine and the other children's songs.[4] In 1972, she published her first essay under the title *Neue psychoanalytische Theorien der weiblichen Sexualität* (New Psychoanalytical Theories of Female Sexuality) for the publication *Maskulin – Feminin. Die Sexualität ist das Unnatürlichste von der Welt* (Masculine – Feminine. Sexuality is the Most Unnatural Thing in the World). In addition to her text, it features contributions from Frank Böckelmann, Bazon Brock and Rita Mühlbauer among others. In the second edition, an afterword co-authored by Anita Albus was added, bearing the challenging title: *Verstehst?* (Do You Understand?). The authors responded therein to criticisms of the first edition by clarifying their proposals.[5] The common goal of the contributors was to write accurately and clearly about the dissolution of traditional notions of femininity and masculinity and the perspectives resulting from this, something which they found glaringly absent in the context of the women's movement.

Anita Albus' first own *Bilderbuch für kleine und große Leute* (Picture Book for Large and Small) was published in 1973: *Der Himmel ist mein Hut, die Erde ist mein Schuh* (The Sky Is My

Hat, the Earth My Shoe) contains a total of nine images, which are capable of prompting a variety of their own stories. There are surreal scenes, mysterious and convoluted representations, and absurd constellations, which in part work with interwoven pictorial references to the history of art. *Der Waldboden / Der wilde Mann* (The Forest Floor / The Wild Man), for example, features a snake from a work by Otto Marseus van Schrieck (1619/1620–1678), the Dutch painter famous for his precise renderings of forest floor still lifes [p. 33].[6] *Das brennende Haus* (The Burning House), later renamed *Das unscheinbare Feuer* (The Unassuming Fire), which depicts a burning house reflected in calm waters without any flames, may be seen as a symbolic interpretation of the possibilities of art, the relations between image and mirror, painting and the visible world [p. 29]. In the same year, she published *Der Garten der Lieder* (The Garden of Songs). This annotated selection of German children's songs and rhymes are illustrated with miniatures measuring only a few centimetres in diameter. These small yet very detailed images specifically relate to the content of the collected texts [pp. 36–43]. Her long-standing and intensive examination of the tradition of illuminated manuscripts and miniature painting shows its artistic traces here. Three decades later, it also showed its influence in her writing, in the chapter of her book *Paradies und Paradox* (Paradise and Paradox) (2002) dedicated to the miniaturist Joris Hoefnagel (1542–1600).

For all the finesse that Anita Albus' images contain, and despite their exactitude and colourfulness, which induce admiration and show the idea of beauty, the selection of her children's songs in *Eia popeia et cetera* (1978) as well as in *The Garden of Songs* rests on the ambivalence of the texts. Many of the published songs describe complex mother-child relationships, explore the longing for absolute peace, contain overblown declarations of love and unmistakable death threats. The seven pictures that accompany this selection are painted in the tradition of trompe l'oeil, and pick up on the dark mood of the texts without actually illustrating them. The artist worked for years on these pictures. Indicating the highly time-consuming nature of her work, which for Albus is also proof of the precision of her artistic work and is a decisive factor in determining its value, she summoned her former publisher, Siegfried Unseld, to provide an exquisite book cover to match the symbolic value of her pictures: »Because there is no one apart from me who takes three years to paint seven pictures, the cover for the book should be made of a material that no longer exists, which can only mean that it would have to be created especially.«[7]

In addition to children's songs and rhymes, fairy tales are an autobiographical companion and a treasure trove for Anita Albus' creative work. On the subject of the story of *Von dem Machandelboom* (On the Juniper Tree), which was transcribed in Low German by the painter Philipp Otto Runge (1777–1810), she wrote to Monique Lévi-Strauss: »(…) it is a very cruel and dark story, very much in the mood of my childhood.«[8] [p. 55] Equally cruel and dark is E.T.A. Hoffmann's (1776–1822) famous story of *Der Sandmann*, which deals with eyesight, among other things – as a tool and metaphor of spiritual enlightenment, and a mirror of the soul – as well as, ultimately and above all, the fear of loss of vision. In the title, the author refers to the figure of the Sandman, who appears in various European cultures both as a comforting companion who induces sleep and a monster who gouges out eyes. The story is incredibly diverse in range and explores the sudden appearance of evil, traumatic childhood experiences, the confusion around the reality of what is visible and of the danger of perishing from the imposed illusions of existence. Anita Albus picks up on this story in two of her seven illustrations in *Eia popeia et cetera* [p. 50].[9] These two works, done in the tradition of illusion painting, celebrate the ability but also the art of seeing and show the vulnerability of sight: the cracked glass and the exhausted, terrified children's eyes in one picture, and the scissors, the griffin and fragments of words on shreds of newspaper in the other are almost mercilessly depicted with the precision of her razor-sharp gaze and great technical perfection. The seemingly casual arrangement of objects stands in the art-historical tradition of illusory quodlibet (Latin: »whatever you wish«) where papers and items of daily life are arranged as if at random and rendered significant objects of art. In the other five pictures in this collection, Anita Albus also holds artistic dialogues across centuries. For example, the cover picture *Die wilde Frau* (The Wild Woman) cites a central work by the painter Adam Elsheimer (1578–1610) [p. 47]. *Die Flucht nach Ägypten* (The Flight to Egypt), painted in 1609, represents this Biblical motif in a nocturnal moonlit landscape under a starry sky. Anita Albus depicts an animalistic Mary figure holding a child in her lap under this same sky. Her body is covered in dense hair, and she is also enveloped in the long, lush hair from her head in a style reminiscent of Martin Schongauer's (1459–1491) depictions of Mary.[10]

Nearly 30 years after her children's song collection, Anita Albus published a compilation of a special kind with *Von seltenen Vögeln* (On Rare Birds) in 2005. In it, she studies some rare and extinct bird species and accompanies their natural historical and myth-laden fates with her own images and texts, flanked by numerous historical accounts. In the late 1970s, shortly after the release of *Eia popeia et cetera*, she painted *Eisvogelpaar in einer Landschaft* (Pair of Kingfishers in a Landscape) (1979/1980) and, in a letter to Claude Lévi-Strauss, expressed her desire to create an encyclopaedia of rare species.[11] The *Pair of Kingfishers* [p. 97] not only appeared on the cover of the Munich catalogue of 1980, but also in *On Rare Birds*. The artist recorded in her diary the hours spent painting this work: there were exactly 1327 of them.[12] The landscape in which the birds are depicted evokes the groups of trees and perspectives in works by Albrecht Altdorfer (circa 1480–1538) and Gérard David (circa 1460–1523). The kingfisher, a recurring subject in her pictures, was given an appendix in the Munich catalogue of 1980, aided by an exchange with Lévi-Strauss, that details the various myths accompanying the existence of this animal. After the illustrations for *Eia popeia et cetera,* Anita Albus no longer painted human subjects. This absence is particularly noticeable in *Pair of Kingfishers in a Landscape*. The lack of human beings as an invisible, and therefore significant, component of this painting produces the impression of a pristine, indeterminate natural space which humans can only enter indirectly, as viewers of art. And although it may sound paradoxical, the artist herself remains absent too, even in her works: it is her stated aim to put herself fully at the service of the objects that she depicts in her paintings. Her highly controlled brush strokes contribute to this, only serving the accuracy of reproduction. In this sense, the artist avoids any personal hand or possible individual interpretation of her subject matter. Anita Albus also hardly ever signs her works; occasionally some pictures are given titles on the back of her works in pencil. The skilful art of disappearing into the picture is a technique that Anita Albus admires in the great Jan van Eyck (circa 1390–1441), as well as in 17th-century artists such as Georg Flegel (1566–1638) or Adriaen Coorte (circa 1665 – after 1707).

Her artistic goal of making the creative process analogous to nature experienced a significant development in technical terms in 1983, when she painted the panel *Stillleben mit Braunliestbalg* (Still Life with White-Throated Kingfisher Skin) [p. 98]. The small work depicts the stripped-off skin and plumage of the eponymous bird species. It is presented on a stone slab, which clearly cites the existentialist sobriety of Coorte's still lifes. When Anita Albus saw the real animal skin in front of her, she realised that the shimmering colours, depth, light refraction and brilliance of its plumage could not be reproduced with regular watercolours. Therefore, she began to produce her own paints, coming as she does from a family of chemists. The work was the first that she produced using such paints. The impulse to make her own paint and binder, to match the brilliance and optical depth of the bird's plumage, follows the tradition of inventions such as those by the ornithologist and bird painter John Gould (1804–1881), who patented a metallic glaze for his representations of the hummingbird in the mid-19th century.[13]

In the mid-1980s, Anita Albus grew selected flowers in her garden in Burgundy to »paint them and describe them from life«.[14] In 1987, twelve of these flower watercolours were published in the re-edition of *Der leidenschaftliche Gärtner* (The Passionate Gardener) by Rudolf Borchardt (1877–1945). Borchardt wrote this book while in exile in 1938 in Italy, and it was first published posthumously in 1951. It is a series of interwoven texts on both natural-historical and historical aspects, philosophical statements and biographical materials linked to this theme. The last chapter, entitled *Katalog der Verkannten, Neuen, Verlorenen, Seltenen, Eigenen* (A Catalogue of New, Lost, Rare, Misunderstood & Singular Plants) documents plant species which were gradually disappearing. Also in 1987, Anita Albus published a total of 21 flower illustrations in a portfolio, accompanied by her own texts; in 2007, a book edition was published with three additional pictures, *Das botanische Schauspiel* (The Botanical Drama).

The constant race against time due to Anita Albus' extremely painstaking and therefore extremely slow artistic execution, her race against the passages of growth, flowering and decay, and her eyewitness account of natural processes, stands the artist's work in the tradition of great natural history researchers like Maria Sibylla Merian (1647–1717) who saw the appropriation of the object through drawing as an essential method of the cognitive process.

In both *The Botanical Drama* and *On Rare Birds*, Anita Albus' artistic and literary pursuits are idiosyncratic in the best sense: the historical facts about each respective species, their synopsis as mythical transformations in different cultural practices and the empathy for her artistic and literary subject matter, form in sum a creative kaleidoscope of sensitivity and intuition. Theoretical and historical facts are juxtaposed with great stories and personal reflections in a seemingly effortless way. Not least the titles, which envisage flowers as stage actors and make birds appear as protagonists of highly original narrative structures, offer many points of reference to the philosophy of Claude Lévi-Strauss.

His book *Die eifersüchtige Töpferin* (The Jealous Potter) was published in German in 1987 with five illustrations by Anita Albus. His thesis on the structural comparability of thinking beyond cultural boundaries was developed on the basis of the importance of animal myths in different cultures and language families. Anita Albus illustrated his elucidations with some pictures, including a flaming – in all senses of the word – representation of a nightjar [p. 59]. At the time, Claude Lévi-Strauss and Anita Albus had been in contact with one another for nine years. In 1978, the artist had written to the influential French researcher, encouraged by an interview in which he elaborated on his claim to painting. Thus, a lifelong friendship began between Anita Albus, Claude Lévi-Strauss and his wife Monique. During his lifetime, the anthropologist researched possible structures underlying reality, to put it in simple terms. Subconscious, universal principles of thinking, according to his conviction, mean that common patterns of communicative coexistence can be perceived across all differences and cultures. This fundamental attitude, his interest in patterns, filters, layers and their inherent structures evidently overlaps those inclinations in Anita Albus' research towards natural history, art and literature.[15]

Between 1988 and 2005, Anita Albus published just a few pictures, but many texts. During this period, the aforementioned shift in her work took place: from an artist who occasionally wrote to a writer who occasionally paints: Only her numerical illustrations accompanying Christoph Ransmayr's novel *Die letzte Welt* were published, as well as her only novel to date, *Farfallone* (1989), in which the author dissects a destructive relationship in epistolary form – and in a similarly precise way as the countless references to entomology that it contains. In the index, she explicitly points out that in the novel, »citations are hidden (…) as *trompe l'oeils* in the text like walking leaves in the bushes«.[16] In 1993, she published four stories in a volume entitled *Liebesbande* (Love Ties). In her novel and in these stories, the relentless precision of words recalls the meticulousness of her painting.

In 1997, she published a major study entitled *Die Kunst der Künste. Erinnerungen an die Malerei* (The Art of Arts. Rediscovering Painting) in which Jan van Eyck takes on a key role. She meticulously decrypts the levels of meaning in his panel-painting *The Madonna of Chancellor Rolin* (circa 1435) and gives detailed consideration to each of the visible components of the work, bringing together historical sources and reinterpreting the painting from the approach of multiple perspective. In this great artistic achievement, whose historical density and intellectual rigor cannot be sufficiently praised, she shows not only her deep understanding of paint production and the material qualities of the colour pigments, but also the importance of this knowledge for Van Eyck's art. Familiarity with the ingredients and mixing ratios are an essential basis for her own artistic works. She knows the exact size and shape of the pigments, and is acquainted with their respective physical properties and effects on the architecture of the light in constructing layers of paint. Her faithfulness to the original in her paintings, which is directly related to this knowledge, leads the viewer to believe that her works are delicate. But in fact, the opposite is the case: small, nevertheless occasionally life-size and precise in their execution, her works are decisive, compact – and as robust as the attitude of the artist herself.[17]

Although Anita Albus works as a painter and writer, to characterise her as multitalented would not only fall short of the mark; it would miss it completely. While painting and writing are given strictly separate work spaces, as far away from each other as possible in both her homes, in Anita Albus' universe, a network of references exists in which this supposed categorical separation takes on its own structure. This is supplied – as befits her interdisciplinary curiosity – with knowledge that unites diverse areas of cultural, natural and art history since the 15th century. When addressed about the variety of topics in her work, she says that she doesn't find the subjects, but that they find her; her work is a puzzling system of paths which occasionally points to clear intersections, parallels and rotaries, dares to make other complicated connections, takes risky, breakneck corners and in doing so, reveals underlying structures. These lie only partly in her exploration of admired artists such as Jan van Eyck, whom she approaches, recognising the limits of her own artistic skills, not through images but through text. Understanding of her artistic role models, whose works are occasionally cited in her oeuvre, or discrete references to other sources, hidden references in her images and texts, also reveal facets of her talents and acquired skills.

The art of seeing, to the degree that Anita Albus has mastered it, comes from the precision of her observation and detailed appropriation of the object in question: whether in artistic, research or literary terms. The truth of scientific knowledge, which creates additional puzzles for every discovery made, is Anita Albus' creed and intellectual guide.

Through her devotion to endangered or already extinct flora and fauna as well as to historical knowledge, mythology, natural history and cultural history of art and literature, she always makes it clear that loss of nature and loss of culture go hand in hand. In simple terms, the progressive disappearance of biodiversity and of human intellect as a creative projection have resulted in the rapid impoverishment of cultural diversity. For the painter Anita Albus, this claim has led to two things: firstly, the choice of her subject matter and secondly, an approach that transforms nature into art by using the mechanisms in nature that result in depth of colour and brilliance: for example, not limiting herself to simple mimicry by outlining the effects of a greenish-blue, black, shimmering plumage, but creating the natural splendour of the pigment grain, the softness of the colours, the interplay between density and transparency, and to create the variety of the layers of paint through a true architecture of light in an artistic way. Her uncompromising attention to detail and the high standards of her work, as well as the value of her craftsmanship as an integral part of artistic and intellectual quality, are an expression of her deep respect for the mysteries within mysteries of the invisible structure of visible phenomena.

Without an understanding of art, which creates strict categories in the relation of the object to the objectivity of painting, and without an uncompromising idea of what constitutes good art, this concentration would not be possible. The rigour described is an expression of the exclusion criteria with which Anita Albus positions herself in opposition to painting and the visual arts since the early 20th century in a decidedly anti-modern attitude: she settles her score with art and its practice since the first years after 1900 in a merciless, strict manner in part four of *The Art of Arts*, entitled *Die Umkehr des Schmetterlings* (The Return of the Butterfly).[18] Not so much in her painting, but more in her writing, she acknowledges the opportunities of appropriation in the art of Marcel Proust or Vladimir Nabokov, and possibly even Tania Blixen, to each of whom she has dedicated entire essays or books.

As she expresses in *The Art of Arts*, the close relationship she perceives between writing and art corresponds to an inner necessity: »The core around which it crystallized, was the desire to understand why I did not progress with painting and the hope that at the end of my mystery trip, I would find the gate to painting open again.«[19] The works created after the book's publication, such as the painting *Waldrappe in Weltlandschaft* (Waldrapps / Northern Bald Ibises in a World Landscape) (1999) [p. 101], may also be considered a fulfilment of this hope. The Northern Bald Ibis, an almost extinct bird from the ibis family, is presented in dazzling splendour before the backdrop of a »Weltlandschaft«. It is the kind of idealised landscape with which Joachim Patinir (circa 1480–1524) influenced the genre of landscape painting in the early 16th century:[20] his detailed, lush universal landscapes, with almost figurative rock formations, are subtly dotted with human settlements and pay tribute to the visible world as a fantastic, diverse yet uniform realm of creation. With figures from the biblical context remaining small, it is the surrounding space that shapes not so much the backdrop as the subject itself. In *Waldrapps/Northern Bald Ibises in a World Landscape*, this space, which cites Patinir, opens up into an almost airborne view.

Anita Albus' chosen work practice of approaching cultural and natural history with the aim to deepen knowledge has, despite its remoteness, points in common with contemporary art practices such as *artistic research*. This artistic practice discovers a potential cognitive process, analogous to established scientific methods, through its approach.

In this context, Anita Albus' art of seeing is not a historical return without relation to the present, but can be considered as a cognitive process. The artist carries out an intellectually skilful, artistic backflip, with which she largely skips over modern art and lands decisively among ideas and criteria that were valid several hundred years ago. However, she does not do this to perform a superficial gimmick of bygone times, but in a manner of intensive appropriation and engagement with the aim of giving a possible future, at least in the arts, to natural history, flora and fauna that is disappearing and therefore threatened with oblivion. This fundamentally forward-thinking approach touches upon crucial questions of our times, which the artist explores critically.

To argue in the rigorous tone of the artist, the conclusion could be made that Anita Albus only works creatively in this manner because she lives in such opposition to these challenging times. The forms in which she thinks, and the mysterious paths that she treads, exude the spirit of the present, the pain of loss and an uncompromising, stoic resistance to categories of efficiency and ideas of progress that she criticises in this »world of usefulness.«[21] She justifies her dismissive attitude towards the zeitgeist of art with the loss of the object, increasing self-referentiality, and the resultant monotony of art production. Anita Albus' artistic claim is situated at a far remove from an understanding of art that only recognises its central function as individual expression, interpretation, alienation or the task of a subject. In this context, any self-reference is alien to Anita Albus; her drive is none other than the question of how things in the universe are interrelated, and in which form nature, art and human thought correspond to each other and can be made visible. Here, the criticism she puts forward of the attested ubiquity of »usefulness« and her deep belief that art must render a service, come into contact. In her analysis of the present, Anita Albus is perfectly aware that it leaves little room for a position such as hers; the idea mentioned in the introduction of an emptied waste-paper basket may still illustrate this fact today.

There is no reason to follow Anita Albus' fundamental criticism in every point, especially in the context of a museum, which is also a place for contemporary art. Nevertheless, the precision of her words remains as sound and as razor-sharp as ever; but there is at least one blind spot in any structure, pattern or perspective – as is the case here too: in her negative analysis and buoyant attitude towards acquiring and working with knowledge of past cultural constellations, she is as much a modern-day as a solitary figure. The museum as an idea, the location of the Kunsthalle zu Kiel, serves the purpose of that conceptual and physical space for her artistic work, from which it can be developed further in many directions, including and especially in the spectrum of contemporary art. And this is something which the small, major, robust and beautiful, complex world of Anita Albus can endure.

1 Anita Albus to Monique Lévi-Strauss, 7.10.1979, Akademie der Künste, Berlin, Anita Albus Archive, without signature.
2 *Anita Albus. Aquarelle 1970 bis 1980* (Anita Albus. Watercolours from 1970 to 1980), exh. cat. Stuck-Villa Munich, Munich 1980.
3 Interview with Anita Albus, *30 Years* (2012), ‹http://30years.com/interviews/anita-albus/› [11.6.2022].
4 All titles noted by year of publication can be found in the bibliography in the appendix and will no longer be separately listed here. The two titles from 1970 are: Sybille Schall, *Berliner Küche. Aal jrün, Buletten, Pfannkuchen und was man sonst noch alles zwischen Ku-Damm und Wedding isst und trinkt*, Munich 1970; Eberhard Merker, *Die schönsten Kinderlieder. 110 Lieder mit Noten für die Kleinen und für die Großen*, Munich 1970.
5 Anita Albus, Frank Böckelmann, Rita Mühlbauer, *Verstehst? Nachwort zur zweiten Auflage* (Do You Understand? Afterword for the Second Edition), in: id. et al. (ed.), *Maskulin – Feminin. Die Sexualität ist das Unnatürlichste der Welt*, Munich 1975 (1972), pp. 269–289.
6 See also Otto Marseus van Schrieck, *Stillleben mit Insekten und Amphibien*, 1662, Herzog Anton Ulrich-Museum, Braunschweig.
7 Quote from: Roland Stark, *Die schönen Insel-Bilderbücher*, Frankfurt am Main 2014, p. 95. The first edition was indeed covered in a special material.
8 Anita Albus to Monique Lévi-Strauss, 15.8.1979, Akademie der Künste, Berlin, Anita-Albus-Archiv, without signature.
9 See W. G. Sebald, *Kleine Vorrede zur Salzburger Ausstellung*, in: *Anita Albus*, ed. by Ante Sorić, Elisabeth and Nikolaus Topić-Matutin, exh. cat. Schloss Neuhaus, Salzburg, Muzejski Prostor, Zagreb, Salzburg, Zagreb 1990, pp. 6–11, p. 8; the article is available here: ‹http://www.wgsebald.de/albus/albus.html› [11.6.2022].
10 Here Anita Albus refers to the work by Elsheimer which is in the Alte Pinakothek in Munich (a second version without the starry sky is located in the Louvre.) In 2005, it was proven that his *Flight to Egypt* depicts the first ever representation of the Milky Way through a telescope, although not all the stars are properly placed. Elsheimer must have looked at the sky through a telescope in the summer of 1609; Galileo Galilei did not begin his studies until autumn 1609. Cf. Gerhard Hartl, Christian Sicka, *Komposition oder Abbild? Die Darstellung des Nachthimmels in Adam Elsheimers* Flucht nach Ägypten *– eine naturwissenschaftlich-kritische Betrachtung,* in: Reinhold Baumstark (ed.), *Von neuen Sternen. Adam Elsheimers* Flucht nach Ägypten, Munich, Cologne 2005, pp. 106–126.
11 Anita Albus to Claude Lévi-Strauss, Munich, 10.4.1979: »(...) et de vous parler de mon projet: Une histoire naturelle of Espèces disparus.« Akademie der Künste, Berlin, Anita Albus Archive, without signature.
12 It took Anita Albus from February 1979 until April 1980 to complete this work of art, see *Tages-Anzeiger Magazin*, no. 38, 20.9.1980.
13 Julia Voss, *Darwins Bilder. Ansichten der Evolutionstheorie 1837–1874*, Frankfurt am Main 2009 (2007), p. 205.
14 The extended title of *Das botanische Schauspiel* (The Botanical Drama) of 2007 (see below) says exactly: *nach dem Leben gemalt und beschrieben* (Painted and Described from Life).
15 Claude Lévi-Strauss referred to Anita Albus in *À un jeune peintre*, in: *Le regard éloigné*, Paris 1983, pp. 336–344.

16 Anita Albus, *Farfallone. Ein Roman in Briefen* (Farfallone: A Novel in Letters), Munich, Vienna 1989, p. 191. Walking leaves are a type of leaf insect. They not only mimic the appearance but also the behaviour of leaves; the insects remain inconspicuous during the day, like leaves in the breeze. When in danger, the females can emit sounds, and the males can shed their legs, much to the perplexity of their enemies.

17 Anita Albus in conversation with Sandra Hoffmann for *Büchermarkt*, Deutschlandfunk, 5.5.2015, ‹http://www.deutschlandfunk.de/malerin-und-schriftstellerin-anita-albus-meine-texte-sind.700.de.html?dram:article_id=319018› [11.6.2022].

18 Anita Albus, *Return of the Butterfly*, in: id., *The Art of Arts: Rediscovering Painting*, Berkeley, Los Angeles 2001 (2000), pp. 271–292.

19 In *Place of Thanks*, in: *The Art of Arts*, 2001 (2000), p. 369.

20 The concept of »world landscape« was used by Ludwig von Baldass for Hieronymus Bosch, but especially for Patinir's works: »Only his mature works, where the landscape consistently evolves from the front edge to the horizon, while the figures become secondary phenomena in artistic terms, can justifiably be called 'world landscapes'.« Id., *Die niederländische Landschaftsmalerei von Patinir bis Bruegel*, in: *Jahrbuch der Kunsthistorischen Sammlungen des Allerhöchsten Kaiserhauses,* vol. 34, 1918, pp. 111–157, pp. 120–122 (transl. by Lucy Jones); the article is available here: ‹http://digi.ub.uni-heidelberg.de/diglit/jbksak› [11.6.2022].

21 *Return of the Butterfly*, in: *The Art of Arts*, 2001 (2000), p. 271.

Regina Göckede
ANITA ALBUS – PAINTING AND CONTEXTS

The artistic works of Anita Albus, as well as their principal sequences of subjects and themes, are very tightly linked to the written publications of the artist. Her painting is created for, in dialogue with or in response to writings she herself or others have penned. In view of the tightly woven mesh of images and texts in Anita Albus' painting, it seems evident to arrange and elucidate the works acquired by the Karl-Walter Breitling and Charlotte Breitling Foundation against the background of the artist's publications. The works are therefore divided into groups of works that correspond to the order of her publications in sequence and thematically/conceptually in terms of her central motifs of songs, fairy tales and myths, as well as recurring figures of animals and plants. Only by comprehending the close link between her research in writing and research in painting, is it possible to elucidate, at least in broad outlines, the most important artistic, literary and theoretical influences on Anita Albus' visual work, as well as the enormous cultural depth of her cosmos of reference, which reaches far beyond modern-day boundaries of disciplines. This applies as much to her two- or threefold identity as an artist, writer and naturalist as to the philosophical, botanical and mythological and religious-spiritual dimensions of her work.

In the following, visitors to the Kunsthalle zu Kiel as well as the readers of this catalogue, are addressed first and foremost as art viewers to interpret Anita Albus' pictures as autonomous works. Just as her writing is characterised by pronounced clarity, her visual work has an equally analytical and poetic flow, which makes her position within contemporary art a very autonomous and consciously anachronistic one. In the following, her consistently representational artistic work is reclaimed and promoted as art without reducing Anita Albus to the position of a merely anachronistic, anti-modern artist. With its presentation of this great collection of small works that display infinitely detailed beauty, the Kunsthalle zu Kiel postulates not least of all Anita Albus' significance for contemporary art. This postulation concerns the artist's almost performative accentuation of technical care and knowledge of paints, as well as the sensual approach in her visual work to subjects that are normally of an academic or scientific nature, such as childhood studies, popular children's songs, botany or ornithology. It also includes her empirical pursuit of the beauty of concrete objects and the visualisation of symbolic relationships between humans and nature, while acknowledging the memory work carried out in Anita Albus' painting as a struggle for the revival of lost art knowledge. In this respect, we recommend the reader to regard the reproductions in this catalogue not so much as reproductions of the original works presented in the exhibition, but rather as visual reminders of those originals, which explicitly raise the subject of creative recollection.

In the subsequent catalogue section, the collection of works acquired by the Karl-Walter Breitling and Charlotte Breitling-Foundation, which has remained in the holdings of the Kunsthalle zu Kiel, is presented in its entirety with illustrations. The structure follows a chronological-thematic order according to groups of works followed by a short text. The division of the works into groups is derived from Anita Albus' own book publications and from her illustrations which she created for Claude Lévi-Strauss' study *Die eifersüchtige Töpferin* (The Jealous Potter). By means of this systematisation, six major groups of works result for the following illustration section, as well as a section named *Vermischtes* (Miscellaneous), in which different individual sheets from various publications are summarised. The structure of the groups of works follows a chronological order, inasmuch as the oldest publication *Der Himmel ist mein Hut, die Erde ist mein Schuh* (The Sky Is My Hat, the Earth My Shoe) forms the prelude, and the catalogue section ends with works collected in the most recent publication *Von seltenen Vögeln* (On Rare Birds).

THE SKY IS MY HAT, THE EARTH MY SHOE

The works in this group were created in the years 1971–1972 as independent illustrations, before they were published in 1973 as *Der Himmel ist mein Hut, die Erde ist mein Schuh. Ein Bilderbuch für kleine und große Leute* (The Sky Is My Hat, the Earth My Shoe: A Picture Book for Large and Small). All subsequent works by the painter Anita Albus are, as she herself put it in 2012 in an interview, »always in the context of texts.«[1] In this respect, the book can be understood as an exception in the oeuvre of an artist, who in the mid-1960s, after an apparently disappointing study of Graphic Arts, came to the conclusion »that literature and politics – not painting – was where her real interest lay.«[2] After a short stint as a member of the Socialist Student Association in Munich, she was involved in an anti-authoritarian kindergarten. Only through her progressive educational commitment to children, did she find her way back to painting at the beginning of the 1970s.

The plates in a nearly square format are painted in luminous, high-contrast watercolours and opaque white. As a painting surface, Anita Albus used cardboard, paper, or both, mounted in multiple layers. The works consistently depict events devoid of human beings, whose starting point – alongside ships and trains – was, broadly speaking, domestic objects, but in contempt of any normative adult sense, they absent of anything domestic or familiar. Others show alternate realities in which symbols of human civilisation mingle with landscapes of pristine nature. A tree carves its way from inside a villa through the facade openings to the outside [p. 26]; another showing a fairy-tale castle frames its identical reproduction and continues the frame into infinity [p. 27]; the view into a toilet bowl opens a porthole onto the view of the sea with an ocean liner [p. 28]; although the upper floor and the roof of a house on a tiny island are in flames, the frightening inferno is not reflected in the surface of the lake – instead, it mirrors the intact image of the house [p. 29]; a mountain landscape reveals itself on a closer look as the head of a stone giant;[3] a locomotive steers through a rugged underwater world and transforms the arctic mountain landscape with its headlights into tropical waters inhabited by colourful fish and corals [p. 31]; a forest still life with a snake, fungi, ferns, and all kinds of wild flowers is arranged so the forest floor, on the first visual plane, changes into the profile of a bearded man by a 180-degree rotation of the image [p. 33]. This method is reminiscent of the inverse images of Giuseppe Arcimboldo (circa 1523–1593). The refined representation of flowers, foliage, fungi and insects as well as the vegetation in *Das Schiff im Wald* (The Ship in the Forest) [p. 30] display thematic and stylistic similarities to the painting method of the proto-surrealist Henri Rousseau (1844–1910) in his pictures of jungles.

All of these pictures were presented to primary school children aged between seven and eleven years old for free interpretation. A selection of the results of these creative interpretations is listed in the book's appendix. Here, for example, *Das brennende Haus* (The Burning House) [p. 29] hints at a magician who lives under the island, and who, if he were the father of the ten year old girl interpreting the picture, would ensure that she »would laugh so much that she wouldn't cry ever again.«[4] In sum, according to Anita Albus in the opening lines of her volume, the children's interpretation and further types of narrative impressively refute any doubts as to »whether such a fantastic event as depicted in the illustration was bearable for the child«. The creative reactions of the children showed the contrary: »(…) how familiarly the child deals with the unfamiliar.«[5] Anita Albus selected the title *Der Himmel ist mein Hut, die Erde ist mein Schuh* from the rhyme *Wer bist du, armer Mann?* (Who Are You, Poor Man?) which Achim von Arnim (1781–1831) and Clemens Brentano (1778–1842) transcribed in their folk-song collection *Des Knaben Wunderhorn* (1806–1808).[6] This choice already displays Anita Albus' particular interest in the genre of folk and children's songs, which was to become the central material of her book project published a year later.

1 Interview with Anita Albus, *30 Years* (2012), ‹http://30years.com/interviews/anita-albus/› [11.6.2022] (transl. by Lucy Jones).
2 *Anita Albus. Aquarelle 1970 bis 1980* (Anita Albus. Watercolours from 1970 to 1980), exh. cat. Stuck-Villa Munich, Munich 1980, p. 72 (transl. by Lucy Jones).
3 The work *Eine Landschaft / Der Kopf des Riesen (Wo ist er?)* (A Landscape / The Giant's Head [Where Is He?]) is now privately owned; see catalogue raisonné, p. 111.
4 Anita Albus, *Der Himmel ist mein Hut, die Erde ist mein Schuh. Ein Bilderbuch für kleine und große Leute* (The Sky Is My Hat, the Earth My Shoe: A Picture Book for Large and Small), Frankfurt am Main 1973, appendix, no pag. (transl. by Lucy Jones).
5 *Der Himmel ist mein Hut*, 1973, introduction, no pag. (transl. by Lucy Jones).
6 Achim von Arnim, Clemens Brentano, *Des Knaben Wunderhorn* (The Boy's Wonder-Horn), vol. 3, Heidelberg 1808, p. 93.

THE GARDEN OF SONGS

What was considered child-friendly from a historical perspective and what do so-called children's songs selected by adults actually impose on young people? These questions are pursued by Anita Albus together with Friedrich Kur (who did the musical adaptation) in their lavishly illustrated book *Der Garten der Lieder* (The Garden of Songs).[1] In this slim volume, eleven old German children's songs are the primary subject of art criticism rather than a musical-sociological analysis. Starting from the basic assumption that there is actually no such thing as children's songs, but merely »many songs which adults believe are children's songs«, Albus and Kur unveil surprising, sometimes uncomfortable and even provocative interpretations rather than trivializing insights. For example, they detect the »amazing career« of a »bordello song in its transformation to school material for young children«[2] (*Schnudelputz Hausstand* [Schnudelputz Household]); or a children's song reveals the attempt to terminate an unwanted prenuptial pregnancy (*Petersilje Suppenkraut* [Parsley Pot Herb]); they uncover a justification for sadistic practices in *Der Schneider und der Teufel* (The Tailor and the Devil); or they reconsider the supposedly incontrovertible fact *Du sollst Vater und Mutter lieben* (Love Your Father and Mother).

Anita Albus' illustrations [pp. 37–42] contribute significantly to challenging our certainties about what constitutes a children's song. Her miniatures, delicately created with a fine paintbrush in watercolours and opaque white, comment on the selected songs and rhymes.

On the hand-painted templates, there are occasionally illustrations for several songs. Only in the final book layout were the individual miniatures associated with the respective lyrics and, with the exception of the opening song *Katze und Zwergkönig* (Cat and Dwarf King), mounted in a template designed as a frame [p. 43]. The design of the book pages follows a set pattern: above the mid-section of each page, the first verse of the song is laid out with music, followed underneath by the complete lyrics. The first letter as an initial is decorated with flowers and tendrilled plants. The text, in turn, is framed by a spatially represented box rendered in green and divided into four parts. These zones are decorated with motifs such as flowers, fruit, birds, insects, shells and scrollwork on a brown background. Each compartment has a medallion. The reproduction of these drolleries corresponds in book print to the exact scale of Anita Albus' original dimensions. Concerning their subject matter, they make more or less explicit reference to the sometimes hidden contents of each song text. In sum, the miniatures reproduce the narrative content of children's songs by rendering visible overlooked meanings. For example, in the song *The Tailor and the Devil* [p. 42], the aforesaid tailor is depicted in Hell, beating three devil figures with a stick. In another illustration, he is torturing a devil lying in front of him with his needle. The four smallest miniatures further illustrate punishments described in the song lyrics, such as cutting off the Devil's tail, torturing him with a hot iron and flaying his devilish buttocks. For the largest miniature illustrating *Parsley Pot Herb* [p. 41], Anita Albus chooses an allegorical illustration: a young woman in a bright white, low-necked dress stands in a herb garden with a white rabbit to her left. In this constellation, the representation of the woman refers to Venus and the white rabbit symbolises physical love, fertility and uncontrolled urges. The setting of the herb garden in this context represents the symbolic threat of herbs used to induce abortion.

1 Anita Albus, Friedrich Kur, *Der Garten der Lieder. Ein Buch für Kinder und Andere* (The Garden of Songs. A Book for Children and Others), Frankfurt am Main 1974.
2 *Der Garten der Lieder*, 1974, appendix, no pag. (transl. by Lucy Jones).

EIA POPEIA ET CETERA

Anita Albus published *Eia popeia et cetera. Eine Sammlung alter Wiegenlieder aus dem Volk* (Eia popeia et cetera. A Collection of Old Lullabies from the People) for the first time in 1978 in a limited edition; in 1987, the book edition was published by Insel Verlag. She created a title page and six more plates to accompany the songs she collected. These were each succeeded by the six thematic chapters, accordingly to which Anita Albus made her selection.

Eia popeia et cetera continues with the concept of *Der Garten der Lieder* (The Garden of Songs). In this book project, Anita Albus again unmasks the sometimes overly idealised notions of children's songs. Through her selection, she proves that the genre of the lullaby, which is commonly associated with maternal benevolence, is in fact driven by one intention: »The child should sleep and be silent. To achieve this, any means is used: the vilest threat (to drown the child) as well as the most tender promise (to want to marry the child).«[1] In relation to Philippe Ariès' *Centuries of Childhood*,[2] Anita Albus supplements with her lullaby collection with an image of childhood that is characterised more by aggressive punishment than selfless care.

Her optical illusions, which were rendered in water colours and opaque white, were painted in the years 1974–1977. Anita Albus provides the beginning of each chapter with one of these visual illusions that at first glance do not facilitate any immediate conclusion about the subsequent lullaby lyrics. The works in this group pursue the aesthetic programme of enigmatic, encrypted and hidden details as well as the strategy of deception: they point out that lullabies at times aim to deceive us about their disciplining aims.

Sechzehn verdrießliche Lieder vom lästigen Kind (Sixteen Annoying Songs about the Peevish Child) is one of the chapter headings. The preceding image [p. 50] mimics a framed photograph, whose glass is cracked. The illustration shows an exhausted girl sitting in front of a door holding a no-less exhausted-looking toddler on her lap. *Zwanzig tödliche Lieder nebst zwei Segen gegen böse Maren* (Twenty Deadly Songs together with Two Blessings against Evil Mares) is accompanied by a picture, in contrast [p. 48], whose superficial observation at least might lead to associations of death and transience: the open shelves of a cupboard show of a collection of curiosities, including an hourglass, a human skull and a composite sculpture of small skeletons.

The entire volume is preceded by a cover illustration of a hairy woman with an infant in her lap [p. 47].[3] *Die wilde Frau* (The Wild Woman) sits on the bank of a moonlit lake. At her feet is a small ermine, whose fur is not significantly different from the fur-like hair of the woman. In this representation, the iconography of archetypal Christian motherhood is brought together with the archaic imaginations of hybrid human-animal-nature deities.

It is not least pictures such as these that caused the anthropologist Claude Lévi-Strauss to see the promise of a renewal of contemporary art based on pre-modern European painting in Anita Albus' work – based on her spiritual intellect, her knowledge of craftsmanship and the diligence of an art practice grounded in empirical-transcendental perception.[4]

1 Anita Albus, *Eia popeia et cetera. Eine Sammlung alter Wiegenlieder aus dem Volk* (Eia popeia et cetera. A Collection of Old Lullabies from the People), Frankfurt am Main 1987, p. 101 (transl. by Lucy Jones).
2 Philippe Ariès, *Centuries of Childhood: A Social History of Family Life*, New York 1962.
3 See also introductory text by Anette Hüsch in this catalogue, p. 134.
4 Claude Lévi-Strauss, *Einführung*, in: *Anita Albus. Aquarelle 1970 bis 1980* (Anita Albus. Watercolours from 1970 to 1980), exh. cat. Stuck-Villa Munich, Munich 1980, pp. 25–27.

THE JEALOUS POTTER

What links the activity of pottery, the human temperament of jealousy and the character of the nightjar? In thematic and methodical terms as well as style, Claude Lévi-Strauss' *La potière jalouse*, published in 1985, is a strange book that is difficult to assign to a conventional genre of science. With its cross-cultural typology of human-animal relationships in the indigenous myths of the Americas, the founder of structural anthropology searches in his own very idiosyncratic way for the symbolic analogy between pottery, jealousy and human creativity. These symbolic similarities are for him evidence of a general transcendental logic of mythical thought, which spawned an organic model of culture long before Freud's psychoanalysis.[1]

The illustration templates accompanying Lévi Strauss' text were carried out in 1987 for the German edition. Anita Albus' five coloured panels illustrate selected animal characters, who all have a special place in the worlds of American myths. What they share is their way of representing human personality traits and value systems. Accordingly, these animals not only possess those ambivalent qualities associated by humans with the traits of envy and jealousy, but also with material productivity and intellectual creativity.

Like perhaps no other creature in the mythologies of the Americas, the nightjar is associated with the origin of potter's clay and pottery as a key civilizational art intermediary between celestial and earthly powers. Just as potter's clay needs to be fired first and therefore requires the fire stolen from the heavens to become a cultural product, mythical semantics evoke the mysterious character of what is considered a particularly unsociable, greedy and voracious bird that does not build a nest and reputedly sings in distress at night. Referred to among the indigenous peoples of America as the »moon searcher«, »ghost bird«, or »wide mouth«,[2] nightjars are attributed divine, as well as both male and female human sexual characteristics. They often symbolise family quarrels and separations, particularly marital discord and jealousy. Here the outspoken oral fixation of the bird, famous for its oversized beak, is highlighted. In other myth groups, the same external prominence is a sign of genuine vaginal power and completes the transition from the image of the selfish glutton to the motif of decapitation. Anita Albus picks up on many of these motifs for her illustration of a nightjar sitting with its head bowed on a branch [p. 59]. Her portrayal responds in an autonomous way to Claude Lévi-Strauss' primary interest in the transcendental context of different versions of myths. With the means of painting, a symbolic whole is created which significantly exceeds the sum of its parts that are rendered in detail. The nightjar's wide-open beak first recalls a chick that demands to be fed. Fleetingly looked at, the image may also contain the impression of a decapitated bird. On this second visual level, the views of an imaginary interior opens up, resembling the human vulva on the one hand, while seeming to harbour the exterior of the landscape dominated by the reds of the flaming forest fire on the other. Anita Albus' nightjar is not merely singing to the full moon or divine fire, but rather seems to lament the destruction of the world in the face of a seemingly apocalyptic scenario of a world conflagration, or perhaps also desperately crying out for its own rescue. Without losing the specific symbolism of the contradictory image details, the presentation evokes systems of relations which transcend far beyond the primary image content and thus also include the cosmic struggle between humans and non-humans for the possession of fire. Anita Albus returned to the theme of the nightjar in 2005 in her publication *Von seltenen Vögeln* (On Rare Birds), in which she reused her illustration created for *Die eifersüchtige Töpferin* (The Jealous Potter).[3] It is mainly the battle of powers in dispute with one another that connects the (over-)natural night bird in mythological terms to pottery, especially with the human traits of greed, avarice and jealousy, which are brought into association with this craft. With the artistic means, Anita Albus makes visible precisely those connections brought to the fore by Lévi-Strauss that express the transition from nature to culture. In dialogue with the text of the French anthropologist, Anita Albus transfers, as it were, the mixed method of myth interpretation to the field of painting. Consequently, she shows the bird as a creature belonging to nature and at the same time places it in its semantic function within human myths as a cosmic bearer of the cultural production of meaning.

Against this mythical backdrop of interpretation, *Das dreizehige Faultier* (Pale-Throated Three-Toed Sloth) [p. 61], *Das zweizehige Faultier* (Linnaeus's Two-Toed Sloth) [p. 60], *Der kleine Ameisenbär* (Lesser Anteater) [p. 62] and *Der rote Brüllaffe* (Venezuelan Red Howler) [p. 63], which appear in the same publication, seem at first glance quite unconnected to *Die Nachtschwalbe* (European Nightjar). And indeed, rather than oral greed they symbolise anal behaviour or retention in Lévi-Strauss' interpretation of myths.

Anita Albus' representations of the three-toed sloth and the two-toed sloth in this respect do not simply show two zoological subspecies of the sloth, but against the background of their specific text and image creation, symbolise the cosmic bisection of the mythical creature in its previous human form into a three-toed water creature and a two-toed sloth. According to an indigenous myth-narrative from Colombia, the old sloth once threw itself up at the sky to darken the sun. »Instead of overcoming the long night, the Sloth initiated it«.[4] He thus was responsible for the attendant human suffering. It was only owing to sustained firing that humans succeeded in splitting the sloth in two. One half fell into the water, the other was caught by a tree branch. Anita Albus paints both sloths, and does so with clear reference to their mythical origins. Her portrayal of the three-toed sloth shows an animal that is diving rather than swimming in the bright daylight of a tropical seascape. In contrast, her representation of the two-toed sloth seems to capture precisely the cosmic moment in which the sloth falling from the sky manages to hold on to a branch pointing towards the sky. The bright mass with a long tail falling to Earth like a comet can be interpreted as the free-falling split part of the mythical origin of sloth. But it could also symbolise the excrement of this animal which is firmly anchored to the tree, and which in numerous American myths is assigned a force that pierces through to the underworld.[5]

The so-called *Lesser Anteater*, which is zoologically related to the sloth, represents the symbolic transformation of the sloth in the imaginary world of the mythology of Central and South America. Anita Albus shows it as an erect creature standing on its long tail, which with its outstretched arms seems to be struggling for balance, in order to survey the honeycomb structure hanging on a branch not far from its head [p. 62]. In the mass hanging from the tree, however, the heart of that human-like underworld dwarf can be detected, left behind at his abode, as whom in numerous indigenous myths of the Americas the anteater appears.[6] Finally, the *Venezuelan Red Howler* [p. 63] represents aboricole wildlife; this refers to animals that live in trees and therefore inhabit the lofty sky above the earthly world of humans in mythological terms.[7] The grim-looking howler monkey sitting in the treetops in Anita Albus' painting does not howl, but, with its excrement rolled into a ball in his hand, it looks at its (human) enemy and us, the viewers. Claude Lévi-Strauss elaborates in detail on the howler monkey well known in indigenous myths as well as in the animal research for »defecat(ing) *high up* in the trees and *at any time*.«[8]

In her picture of the small howler monkey, together with the nightjar and sloth(s) and their relatives, Anita Albus therefore illustrates a crucial element in the semantic field within which the mythical thought researched by the anthropologist is performed. The core of this thinking is created, however, by the subject of the *jealous potter*; she is the archetypal artist. She carries out this risk-laden craft of forming and affixing, thus »›culturaliz(ing)‹ vegetable and animal substances.«[9] Drawing on Lévi-Strauss' insights Anita Albus succeeds in doing something quite similar. Her images significantly contribute to the fact that the study *The Jealous Potter* in its German translation is more than just an academic text about the mythical act of cultural semantic function. The artist does significantly more than just illustrate the animals mentioned in the text or render visible the symbolic functions ascribed to them in mythology. Rather, Anita Albus illustrates the underlying empirical-transcendental overall design in Claude Lévi-Strauss' study. Thanks to her works, it becomes an almost artistic act of myth narrative itself, in which the anthropologist himself is a kind of potter, his raw material formed into something new.

1 For his criticism of Freud, see Claude Lévi-Strauss, *The Jealous Potter*, Chicago 1988, pp. 131 and 295.
2 Lévi-Strauss, *The Jealous Potter*, 1988, pp. 35–36.
3 Anita Albus, *Von seltenen Vögeln* (On Rare Birds), Frankfurt am Main 2005, pp. 135–162; the image can be found there on p. 161.
4 Lévi-Strauss, *The Jealous Potter*, 1988, p. 80.
5 Lévi-Strauss, *The Jealous Potter*, 1988, p. 86.
6 Lévi-Strauss, *The Jealous Potter*, 1988, p. 104.
7 Lévi-Strauss, *The Jealous Potter*, 1988, pp. 117–119.
8 Lévi-Strauss, *The Jealous Potter*, 1988, p. 125.
9 Lévi-Strauss, *The Jealous Potter*, 1988, p. 178.

The works, which were created between 1985 to 1987 and published in full for the first time in 2007 in the book project *Das botanische Schauspiel* (The Botanical Drama), are without exception representations of plants.[1] Carefully crafted in the style of botanical drawings and flower paintings from the 17th and 18th century, their rich detail and layered physical presence are captivating. Despite their spatial depth and delicate fresh colours, the representations occasionally recall a collection of pressed actual plants. Anita Albus herself describes her paintings as belonging to the genre of portrait. These flower portraits show their models »not from the top down«, but from the perspective of an equal counterpart, putting the viewer in the position of a »garden companion«.[2]

The project clearly received its formative inspiration from the closing chapter of Rudolf Borchardt's book *Der leidenschaftliche Gärtner* (The Passionate Gardener), entitled *Katalog der Verkannten, Neuen, Verlorenen, Seltenen, Eigenen* (A Catalogue of New, Lost, Rare, Misunderstood & Singular Plants), which Anita Albus already illustrated in 1987 with selected flower paintings.[3] Similar to the way in which the German intellectual chose plants from his own garden in Italian exile in 1938 as the starting point for his work on the relationship between human beings and plants, garden design and flower painting, Anita Albus did portraits of flowers that she grew herself from the garden of her residence in Burgundy. Not least of all, her work, which was based on extensive garden studies, adapted the art of the Dutch flower painters of the 17th century who were especially admired by Borchardt; a direct inspiration is the work of the German flower and insect painter Maria Sibylla Merian.[4]

Anita Albus staged her botanical drama on the basis the of summer excursions, known for their public »theatrical« character, as well as on the sometimes quaintly intimate »botanical romances«, by the Swedish naturalist Carl von Linné.[5] The readers and viewers of *The Botanical Drama* embark on an equally intimate excursion. Each of the full-page works is accompanied by an essay using associative and anecdotal information about the origin and dissemination of the respective plant, its botanical character and sometimes brief care instructions. Special attention is also paid to researchers whose names are given to (initial) descriptions, discoveries and recordings of the plant in the botanical knowledge archive. These people are the worthy protagonists of the book project. With an extension of the actual botanical genus name, they are recognized for their merits. Consequently, for example, the chess flower, which was first fully described in Carl von Linné's *Species Plantarum* in 1753, is not simply called *Fritillaria meleagris* by Anita Albus, but *Fritillaria meleagris L.* [p. 69]. The *Cosmos atropurpureus* [p. 75] is given the extra supplement of *Hook.* in memory of the fern researcher William Jackson Hooker. Using text and images, Anita Albus draws the roles given, or yet to be assigned, to the plants illustrated in the *Botanical Drama* on different geographic theatre stages of natural and cultural history. Thus, the *Chess Flower* [p. 69], shown in the beginning with a view to Anita Albus' overall oeuvre, is given the paradigmatic key role of a »miraculous monochrome miniature«.[6] This plant is considered to be a rare and endangered natural beauty, which has repeatedly provided inspiration in art and crafts in the course of cultural history due to its meticulously formed flowers. In addition, the *Yellow Larkspur* [p. 70] is given the role of »small« but »tough« conqueror of the East and West, while the *Dayflower* [p. 74], due to the strict rhythm of the opening and closing of its flowers, advances to become the representative of the »floral punctuality«, and the *Chocolate Cosmos* [p. 75] is considered »misunderstood«, but in fact has a very erotic, almost salacious beauty, or the *Plum Iris* [p. 91] is a cunning, fragrant »emblem of victory«.[7]

Even without the mediating natural and cultural-historical context of the publication, the portraits of flowers in The Botanical Drama have a narrative content. The inherent and, literally, natural poetry, follows a pre-modern aesthetic programme that first and foremost aims to map the infinite beauty of nature in all its detail. As works of contemporary art, they tell of the search for a largely lost skill of representing nature. This is not exclusively, but also comprises, an exploratory movement, which can be perceived in its progressive technical refinement, especially in the use of self-made paints. Anita Albus has dedicated an entire section to this dimension of her field work, namely the search for »lost colors«, in her study Die Kunst der Künste (*The Art of Arts*).[8] The appropriation of this knowledge, which allows her to use colours believed to be long-lost, is directed at an imitation of nature that is as precise as possible. The use of paint is a decisive factor for the rehabilitation of nature as a crucial source of cultural creativity and at the same time as an aesthetic category of her painting. Nevertheless, colour never becomes an autonomous representation of content. In Anita Albus' art, her aim is never impressionism, expressionism or abstraction in the sense of modern art. Anita Albus' use of colour is aimed at the closest possible proximity to artistic production. It is precisely this effort towards an aesthetic approach and visual identification with the creatures of nature that also distinguishes her work in the series *Von seltenen Vögeln* (On Rare Birds) in a special way.

1 For information on the previous publication, see this catalogue, pp. 134–135.
2 Anita Albus, *Das botanische Schauspiel. Vierundzwanzig Blumen, nach dem Leben gemalt und beschrieben* (The Botanical Drama. Twenty-Four Flowers, Painted and Described from Life), Frankfurt am Main 2007, p. 146 (transl. by Lucy Jones).
3 Rudolf Borchardt, *Der leidenschaftliche Gärtner*. Mit zwölf Aquarellen von Anita Albus, Nördlingen 1987; transl. by Kaspar Borchardt, *The Passionate Gardener*, New York 2006. The English edition is published without Anita Albus' water colours.
4 Anita Albus, *Blumen und Insekten. Die Grillen der Maria Sibylla Merian, 1647 bis 1717* (Flowers and Insects. The Crickets of Maria Sibylla Merian, 1647 to 1717), in: id., *Paradies und Paradox* (Paradise and Paradox), Frankfurt am Main 2002, pp. 203–213.
5 On the importance of Carl von Linné for Anita Albus, see *Echonamen aus Uppsala* (Echo Names in Uppsala), in: id., *Käuze und Kathedralen. Geschichten, Essays und Marginalien* (Screech Owls and Cathedrals. Stories, Essays and Marginal Notes), Frankfurt am Main 2014, pp. 167–168.
6 *Das botanische Schauspiel*, 2007, p. 16 (transl. by Lucy Jones).
7 Transl. from *Das botanische Schauspiel*, 2007, by Lucy Jones.
8 Anita Albus, *The Art of Arts: Rediscovering Painting*, New York 2000, *Part Four: View with Ten Lost Colors*, pp. 271–360.

ON RARE BIRDS

In 2005, Anita Albus' book on extinct and endangered bird species was published. Illustrated with her own and historical-ornithological pictures, it describes the massacre of North American passenger pigeons, recapitulates the extinction of the Carolina parakeet in the United States, tells the story of the systematic repression of northern penguins (great auks) by human hand, or recalls the persecution of numerous species of South American parrots by relentless profit hunters. The Little Blue Macaw or Spix's Macaw is given special treatment. Despite the sober language used in the story of the failed pairing of the last surviving blue-feathered parrot couple, it nevertheless has a dramatic quality. In her image *Blue-Winged Macaw, Spix's Macaw Female and Male on a Caraiba Branch* [p. 104], Anita Albus depicted the attempt to preserve the species, which was followed worldwide but was ultimately unsuccessful. The female Spix's Macaw, who had been liberated from seven years of captivity, was brought together with a wild-living fellow parrot, who was already living in partnership with a green Maracana. Anita Albus reports on the »assiduous loyalty of the little [Green]« and notes that the »beautiful female Spix's« was no longer willing »to look on as her darling mate paid more and more attention to the [green one].«[1]

Anita Albus invests all her skills as a painter in a lifelike illustration of these beautifully plumaged birds, as well as to the representation of the tense relationships between the bird protagonists she portrays.

A very different focus, or rather a manifold one, is reflected in the oil painting *Waldrapps / Northern Bald Ibises in a World Landscape* [p. 101]. The northern bald ibis is the subject of the second chapter that deals with those bird species that are threatened with extinction nowadays. It presents birds such as the corncrake, nightjar, barn owl, or kingfisher. Anita Albus describes the behaviour and proliferation of the different types as well as erroneous research into individual bird species and the mythologies and fables underlying them.

Anita Albus' picture shows the bird together with fellow species in an epic universal landscape, which is more reminiscent of 15th and 16th-century nature and landscape painting,[2] rather than serving to illustrate the natural habitat of the primeval ibis. The composition draws the attention of the viewer to the symbolic meaning and cultural-historical integration of the feathered creature in the foreground with its characteristic black-green-violet shining plumage, its bare head framed only by crest feathers and the red curved beak. In addition to the ornithologically precise depiction of the bird, which is elaborated in both its painting technique and colouring, there are art-historical references to masters highly admired by Anita Albus such as Jan van Eyck or Joachim Patinir. While the latter is regarded as an outstanding representative of the genre of the world landscapes, Anita Albus recognises in the art cosmos of Jan van Eyck the visualisation of the infinite spatial continuum of nearness and distance through the painterly liberation of three-dimensional space.[3] The bird (in the specialist world known as *Geronticus eremita*) is placed in a no less differentiated landscape of enormous depth. The viewer is at eye level with the fully grown adult bird on slightly leafy, alpine ledge. In the immediate vicinity there are two more birds; one of the two can be recognised through its less pronounced crest as a young bird. Three relatives of the species known for their wing spans of up to 125 centimetres and special flying skills, sail in lofty heights over the rocks. In addition to the close-up plane, the painting offers a remote perspective that overcomes the limitations of human perception, and reveals a deep river valley with a landscape populated by humans in a pre-modern settlement structure. Similar to Patinir's painting *Ruhe auf der Flucht* (Rest on the Flight to Egypt) (1516/1517), Anita Albus' natural-cultural panoramic view creates the impression that the vertical and horizontal planes cross.[4] Although this work focuses on the expulsion and flight of the forest ibises, the targeted duplication of escape points, as well as the meticulous merging of microscopic and telescopic vision, does not allow the eye to rest. The observer gaze turns into a »pilgrim eye«[5] between the supposedly fixed geometric perceptual opposites of intricate close-ups and staggered depth. *Waldrapps / Northern Bald Ibises in a World Landscape* is thus a memory work in many ways. On the one hand, it is reminiscent of an avian species that has not lived in Europe since the 17th century and is currently threatened with extinction worldwide. But the picture is also reminiscent of the undiminished topicality of premodern painting, which still sought art in the contemplation of nature and therefore derived its distinctive craftsmanship in the visual reconstruction of creation. With her memory of a lost art form as a symbol of outmoded painting, Anita Albus warns of the ethical dangers of a future civilisation which in its lack of knowledge of the unity and interdependence of human perception and non-human life has irrevocably yielded to the comprehensive exploitation of resources.[6]

The rare birds painted and described by Anita Albus become a metaphorical mirror of human characteristics. Some are portrayed in a way that makes them seem very human. At the same time, the artist repeatedly points to her acknowledgement of the difference between humans and animals, and highlights the impossibility of emulating the ornithological perception of the world. Her creative work, however, repeatedly acquires traits of artistic research; for example, when the writer-painter wonders about the much-praised optical and acoustic perception of the barn owl. For example, on the subject of its hearing, she muses: »The sound of bells doesn't faze it if its nest is in a church tower.« Not without irony, she speculates whether »it even can hear the grass grow«.[7] Anita Albus' empathy for owls is unquestionably very pronounced. Apart from a chapter on barn owls, *Von seltenen Vögeln* (On Rare Birds) features a whole chapter on hawk owls.[8] Her identification with the beautifully feathered, owl-hunting night hawk is so great that she seems to see with its eyes and hear with its ears. In this endeavour, humans become the »two legged invader«[9] and »most dangerous adversary«,[10] whom one must keep a close eye on. Such a moment is captured in the oil painting *Northern Hawk-Owl at a Birch Wood* [p. 105]. Unlike in the case of the *Barn Owl with Pellets, during the Day in the Attic* [p. 99] »when people still knew how indebted they were to these birds«[11] and therefore offered them shelters under barn gables, the hawk owl stares at us – the main enemy – with its sulphurous-yellow eyes. Its mimicry of birch, the outward turn of the plumage in imitation of its preferred taiga tree, or its typical pole position, does not manage to camouflage it fully. Instead, Anita Albus' representation makes visible the owl that is invisible during the day.

Here, as in her work entirely dedicated to animal-, bird- and plant-life Anita Albus formulates a corrective to the dominant Anthropocene thesis: our concept of nature is not outmoded – as is commonly believed today – because man is shaping nature, thus making opposites such as culture/nature, human/non-human or subject/object obsolete, but because we have forgotten that our cultural existence has always sprung from the respectful contemplation and creative transformation of nature. Anita Albus' non-conformist art calls for the return to this knowledge of mutual ecological and cultural dependency, to secure the future of human culture in general and the arts in particular. This attitude may seem anachronistic or even culturally pessimistic. Anita Albus' work, however, represents a very contemporary ecocritical position, which perhaps also points beyond our own present art, precisely by renouncing avant-garde attitudes or postmodern relativisms.

1 Anita Albus, *On Rare Birds*, Glasgow 2011, p. 54.
2 See this catalogue, p. 137.
3 Anita Albus, *The Art of Arts: Rediscovering Painting*, New York 2000, p. 11.
4 *The Art of Arts*, 2000, p. 195.
5 *The Art of Arts*, 2000, pp. 189–208.
6 See also from an eco-critical point of view the highy politico-ethical afterword in: *On Rare Birds*, 2011, pp. 215–228.
7 *On Rare Birds*, 2011, p. 153.
8 *On Rare Birds*, 2011, pp. 173–182.
9 *On Rare Birds*, 2011, p. 177.
10 Alfred Brehm as cited in *On Rare Birds*, 2011, p. 176.
11 *On Rare Birds*, 2011, p. 172.

Diese Publikation erschien erstmals anlässlich der Ausstellung
This catalogue was first published for the exhibition

ANITA ALBUS. DIE KUNST ZU SEHEN
ANITA ALBUS. THE ART OF SEEING

Ein Ankauf der Karl-Walter Breitling und
Charlotte Breitling-Stiftung
An acquisition by the Karl-Walter Breitling and
Charlotte Breitling Foundation

20. Mai 2017 – 27. August 2017
20 May 2017 – 27 August 2017

Kunsthalle zu Kiel
Christian-Albrechts-Universität
Düsternbrooker Weg 1
D-24105 Kiel
Tel. +49 (0)431 880 57–56
Fax +49 (0)431 880 57–54
www.kunsthalle-kiel.de

AUSSTELLUNG
EXHIBITION

Kuratorinnen *Curators*:
Anette Hüsch, Regina Göckede

Registrar *Registrar*:
Mareike Otten

Öffentlichkeitsarbeit *Press, Public relations and marketing*:
Maren Wienigk

Bildung und Vermittlung
Art education:
Veronika Deinzel, Anna Peplinski, Carmen Kindel

Assistentin *Assistant*:
Harriet Meyer

Konservatorische Betreuung
Conservators:
Ulrich Krapohl, Dorothée Simmert, Stefanie Wendel

Ausstellungsaufbau
Exhibition installation:
Bernhard Seifert, Edmund Sieck, Dirk Schröder, Sascha Kayser, Christopher Prösch, Jenny Reißmann

Verwaltungsleitung
Head of administration:
Mareike Otten

Sekretariat *Office*:
Ines Fiehn, Jutta Vester

KATALOG
CATALOGUE

Herausgeberin *Editor*:
Anette Hüsch

Texte *Texts*:
Regina Göckede, Anette Hüsch

Korrektorat *Proofreading*:
Uta Barbara Ullrich, Brigitte Drews

Übersetzung *Translations*:
Lucy Jones (Deutsch-Englisch *German-English*)

Fotonachweis *Photocredits*:
Sönke Ehlert, Isolde Ohlbaum (Anita Albus, 2009, S. 152), Anita Albus, *Sonnenfalter und Mondmotten*.
© S. Fischer Verlag GmbH, Frankfurt am Main 2019 (S. 123, 125)

Gestaltung *Graphic design*:
anschlaege.de, Berlin
Reproduktionen *Reproductions*:
DruckConcept, Berlin
Druck und Bindung *Printing and binding*:
Printer Trento s. r. l.
Papier *Paper*:
Gardapat Bianca 150 g/m²

Zweite, überarbeitete und erweiterte Ausgabe *Second revised edition*

Erschienen im *Published by*
Hatje Cantz Verlag GmbH
Mommsenstraße 27
10629 Berlin
Deutschland *Germany*
www.hatjecantz.com
Ein Unternehmen der Ganske Verlagsgruppe
A Ganske Publishing Group Company

ISBN 978-3-937208-57-2
(Museumsausgabe *Museum edition*)
ISBN 978-3-7757-5174-2
(Verlagsausgabe *Trade edition*)